L'ASCENSEUR

BERNARD WALLER

L'ascenseur

ROMAN

MERCURE DE FRANCE
MCMLXXXII

PQ
2683
A37
.A7

ISBN 2-7152-0091-9
© MERCURE DE FRANCE, 1982.
26, rue de Condé, 75006 Paris.
Imprimé en France.

I

J'ai tout de suite aimé cette maison.

A l'époque, pourtant, je n'avais pas d'idée très précise sur la façon de me loger. J'avais besoin d'un lieu à moi que rendait nécessaire ma rupture récente avec Jean. J'avais été avertie qu'un studio était disponible dans le voisinage ; la modicité du loyer retint mon attention.

Je découvris une cour pavée à l'ancienne, un bel arbre planté au milieu, de larges fenêtres à volets verts qui donnaient à l'ensemble un aspect cossu et un peu suranné. Le soleil de mars, fragile, réchauffait la cour. C'était un présage. Un air de saxo flottait, hésitant.

A droite, une maisonnette formait une excroissance inattendue. Elle ressemblait à un chalet avec sa façade de bois et son toit triangulaire. Je m'y dirigeai. J'y fus accueillie par une odeur de chat, de soupe aux légumes et dans le ronronnement d'un poste de télévision qui éclairait le fond de la pièce.

Le « chalet » était habité par les sœurs Pinson, des jumelles d'environ quatre-vingts ans, les propriétaires de la maison. J'indiquai le motif de ma visite. Les deux sœurs

7

m'escortèrent : nous traversâmes la cour. Un homme d'une trentaine d'années, que je n'avais pas remarqué à mon arrivée, se tenait debout devant une excavation rectangulaire profonde comme une fosse. L'homme me regarda avec tant de curiosité que je me détournai.

J'allais avoir trente ans et j'avais, je crois, un aspect jeune et plutôt agréable. Je rougis.

L'une des jumelles intervint à voix haute, comme si l'homme ne pouvait pas comprendre :

— Ne vous en faites pas : il a l'air un peu sauvage, mais il n'est pas méchant.

L'information me parut bizarre. Je n'eus pas le temps de m'en étonner. L'autre jumelle prenait le relais :

— Et il nous rend de si grands services.

— Quels services ? demandai-je en m'engageant dans l'escalier à la suite des deux sœurs.

— Plomberie, électricité, peinture... me répondit l'une d'elles.

— C'est notre bon ange, chuchota l'autre.

Le studio était situé entre le deuxième et le troisième étage, dans un renfoncement de l'escalier d'architecture confuse et tarabiscotée.

Je compris la raison pour laquelle ce logement n'avait pas trouvé d'acquéreur. Certes, le studio donnait sur la cour, large et aérée ; certes, les branches de l'arbre montaient jusqu'à sa fenêtre ; certes, la pièce était spacieuse ; mais elle était traversée dans l'un de ses coins par la cage de l'ascenseur.

— Naturellement, il y a cela, me dit l'une des jumelles,

mais c'est un inconvénient mineur, pour ne pas dire inexistant, puisque l'ascenseur ne fonctionne pas.

— Considérez bien l'espace que vous avez, dit l'autre jumelle, et le prix que nous vous faisons...

— Et la verdure que vous procure cet arbre, reprit la première.

Sa sœur précisa :

— C'est un mûrier, vous savez, et ce n'est pas fréquent dans une ville, encore moins dans la cour d'une maison.

Sept ans de vie commune, de disputes, de difficultés, avaient détruit chez moi tout esprit critique, toute ambition. J'acceptai. Les jumelles, l'une après l'autre, me firent savoir que je faisais une très bonne affaire et que je pouvais emménager quand je voulais.

— Dès demain, dis-je avec fermeté.

— Parfait ! répondirent les jumelles en chœur.

Nous redescendîmes. Dans la cour, l'homme avait disparu. Le soleil aussi. Mais la musique zézayait toujours, un peu irréelle. J'observai avec tendresse l'arbre qui allait me tenir compagnie et qui, désormais, avait un nom. Son feuillage m'empêcha de localiser la fenêtre de mon studio.

Je passai encore une nuit chez Jean. Je ne lui révélai rien de la particularité du studio, mais je me montrai contente. Jean fut aimable et plein d'entrain. Nous dînâmes dans notre restaurant habituel. Nous y bûmes du minos, le vin grec qui fut celui de notre premier repas, pris dans le même restaurant, il y a sept ans. Jean était resté le même. Les années n'avaient pas passé sur lui. Notre dîner de rupture fut aussi joyeux que celui de notre rencontre. Jean fut galant, drôle, peut-être un peu agacé par ma bonne humeur et ma détermination. Il sursauta quand je lui appris que la cour contenait un mûrier.

— Il y avait aussi un mûrier dans la maison où j'ai passé mon enfance, dit-il.

C'était la première fois que Jean se laissait aller à une confidence de ce genre. Je le regardai avec surprise :

— Tu ne me l'avais jamais dit !

Jean répliqua de sa voix précise, qui semblait tailler chaque mot au diamant :

— Je ne vois pas ce qui aurait pu m'amener à te le dire.

Je découvrais ce qui avait manqué à notre liaison : nous ne nous étions rien dit.

Il faisait doux. Nous avons flâné. Nous rentrâmes pour notre dernière nuit. Jamais depuis longtemps Jean ne m'avait fait l'amour avec autant de prévenance.

II

Le lendemain était le jour de mon déménagement. J'avais téléphoné à Gilbert, un ami d'enfance. Il devait m'aider à transporter mes affaires, en réalité peu de chose. La présence de Gilbert était un réconfort moral plus qu'une aide effective.

Gilbert était un grand garçon de vingt-cinq à vingt-six ans, le plus serviable et le plus dévoué des amis.

J'avais connu Gilbert toute petite. Me considérait-il comme une femme, comme une enfant ? Je l'ignorais. Parfois il me regardait avec sévérité ; la seconde d'après je retrouvais son sourire qui semblait nourri de toute l'innocence du monde.

Nous parlâmes de notre enfance commune à Clorivière, la bourgade où j'étais née et où habitait toujours ma mère. Nous avons évoqué les fêtes foraines, les manèges sur lesquels j'avais si peur, les courses en sac dans les rues du village, les promenades dans la forêt, mille petits faits mutins, tendres. Ces souvenirs étaient aimables, nullement nostalgiques. D'ailleurs, je n'étais pas triste. J'avais un naturel optimiste ; je voyais le bon côté des choses : comme on dit, j'aimais la vie.

Gilbert portait mes valises, ne m'ayant laissé que le sac de voyage en tissu écossais que j'utilisais pour mes week-ends à Clorivière, autrefois ; car, depuis trois ou quatre ans, mes rapports avec Jean étaient devenus si compliqués que j'avais peu à peu renoncé à ces week-ends. Je le regrettais, car j'aimais bien Clorivière le samedi, quand le grand parc était envahi par la foule campagnarde et les marchands forains, et que ma mère, fine cuisinière, tirait d'un bocal de grès la cuisse d'oie ou de canard qu'elle accommodait avec gourmandise.

A présent j'étais libre d'aller à Clorivière quand je le souhaitais. Je n'en avais pas envie. Il m'aurait fallu raconter ma séparation d'avec Jean, mon emménagement ici, parler sans doute de l'ascenseur. Je remis ce voyage à plus tard. J'avais besoin de tout mon temps pour installer mon studio et je voulais passer mes premiers week-ends de femme seule à réfléchir et à me reposer.

Les rues qui séparent le domicile de Jean de la maison des sœurs Pinson sont animées. Nous prîmes un raccourci qui longeait la rivière sur le bord de laquelle, il y a un peu plus de sept ans, Jean m'avait embrassée pour la première fois. La fraîcheur nous enveloppait cet après-midi-là. Jamais cette partie de la ville ne me parut plus tranquille. J'aurais dû être émue par le souvenir de ce baiser, par l'eau, par ce calme. Au contraire j'avais des idées folâtres, mon pas était gai.

12

Gilbert allait sans mot dire. Je tentai de rompre le silence :

— Tu n'es pas amoureux, Gilbert ?

Il ne répondait pas. Je repris :

— Tu as bien une amie ?

Il ne bronchait pas. Mon interrogatoire s'arrêta là. Gilbert avait une attitude mystérieuse et renfermée qui ne lui était pas habituelle. Je n'en augurai rien de bon.

Nous quittâmes la berge et la rivière pour prendre une rue où de la mousse poussait entre les pavés. Sur le pas d'une porte, une vieille femme nous regarda passer. Il y avait tant de détresse en elle que je baissai les yeux, réglant mon pas sur celui de Gilbert. Soudain honteuse de ma lâcheté, je me retournai : la vieille, dans un rayon de soleil imprévu, le visage en arrière et les yeux grands ouverts, avait l'air d'une morte.

J'entraînai Gilbert dans ma nouvelle demeure. Je m'y considérais déjà comme une habituée. Je lui montrai le « chalet » des sœurs Pinson, les fenêtres à volets verts, l'arbre planté au milieu de la cour.

— C'est un mûrier, dis-je avec autorité.

— Un mûrier ? fit Gilbert avec surprise.

— Oui. Et ce n'est pas fréquent dans une ville. Encore moins dans la cour d'une maison.

— C'est possible, dit Gilbert, laconique.

Les sœurs Pinson eurent un coup d'œil méfiant pour mon porteur de valise. Mais elles reçurent fort bien le versement des trois premiers mois de loyer que je leur remis en espèces, comme il était convenu. Puis elles me transmirent la clé de l'habitation où devaient se dérouler les événements les plus extraordinaires de mon existence. Pour le moment, bien entendu, je ne me doutais de rien et je voulais considérer mon déménagement comme une chose simple. Ce sentiment n'était sans doute pas partagé par Gilbert qui regardait autour de lui avec inquiétude, laquelle fut à son comble lorsqu'il découvrit la particularité du studio.

— Rassure-toi, l'ascenseur ne marche pas, lui dis-je avec bonne humeur.

Il s'approcha de la cage, passa la main entre les barreaux, examina la ferronnerie. Je plaisantai :

— Cela pourra toujours me servir de vide-ordures !

Gilbert se retourna. Il me fixa avec un mélange de stupeur et de pitié. Ses yeux paraissaient ceux d'un vieillard égarés au milieu d'un visage de jeune homme. Je frissonnai. Mais je continuai, primesautière :

— Cela explique le prix très bas !

Gilbert ne parlait toujours pas. Je repris, un peu agressive :

— Pour moi c'est l'idéal, non ? C'est pittoresque ! Ce n'est pas comme chez tout le monde, hein ?

J'ouvris la fenêtre. La verdure de la cour donnait un aimable décor à mon studio. Celui-ci comportait un cabinet de toilette avec une douche, un coin-cuisine sommaire mais suffisant. Lit, armoire, table, chaises constituaient banalement, mais correctement, l'ameublement, auquel il fallait ajouter une petite table dont l'aspect aristocratique semblait un peu déplacé. Cette table me rappela le guéridon que faisait tourner mon père, à Clorivière, pour converser avec les morts.

— Voilà, dis-je gaiement à Gilbert, je suis chez moi !

Il prononça enfin :

— Souhaitons que le volcan ne se réveille pas !

Je ne compris pas tout de suite :

— Quel volcan ?

— Mais ça, répondit-il en désignant l'ascenseur.

J'éclatai de rire. Gilbert rit aussi. Il inspecta la cuisine, la douche, les murs. Seul le linoléum lui déplut. Il promit de m'acheter un tapis et quelques objets susceptibles de donner un peu de relief à la cage de l'ascenseur : une lampe, une statuette...

Il me laissa tout à coup entre mes valises : je n'eus pas le temps de le remercier et de l'embrasser.

III

Pour la première fois depuis sept ans, j'étais chez moi, j'étais seule. Car je ne puis compter pour solitude mes escapades de jeunesse et mes déceptions amoureuses. Partagée entre la banalité et la nouveauté de la situation, je ne pus me résoudre à défaire mes valises. Je sortis de mon sac un petit calepin et, errant dans la chambre, je me mis à inscrire ce qu'il me faudrait acheter : sucre, café, sel, etc. Je m'assis sur une chaise. J'entendis la musique d'un poste de radio ou de télévision, le miaulement d'un chat, le roulement d'une voiture au loin. Ma propre voix, que je tins à faire retentir, était rassurante et égale à elle-même.

Il y avait longtemps que je n'avais pas parlé toute seule. Cela me fit du bien. Je prononçai mon prénom. Je lui découvris un aspect gracieux, rieur, un peu narquois. Je me posai de petites questions : « Ça va-t-y, Marion ? T'es contente, Marion ? » Pour éprouver ma diction, j'essayai de dire une récitation apprise à l'école. Je mélangeai Prévert et Victor Hugo. Je voulus retrouver un poème de

17

Louise Labé, que j'avais connue plus tard. Aucun vers ne revint à ma mémoire. Cela me chagrina : j'avais vieilli. Car j'adorais Louise Labé et ses vers amoureux, sensuels, que je murmurais autrefois avec émotion.

Un incident me fit oublier Prévert et Louise Labé. Je perçus un frémissement qui me parut venir de la ferronnerie de l'ascenseur. Je m'approchai. Je posai la main sur le métal : la cage était parcourue de vibrations semblables à celles d'un courant électrique de faible intensité que ma paume, serrée contre les barreaux, détectait nettement. Une vie souterraine animait donc ce « volcan », comme l'avait appelé Gilbert. Un bourdonnement lointain montait du puits, comme le signe d'une éruption prochaine. Ce bourdonnement était accompagné de chocs précis, réguliers, un peu sourds. Ceux-ci cessèrent bientôt et furent remplacés par un frottement qui rappelait celui d'une lime contre du fer.

Ces phénomènes, qu'on pourrait juger insignifiants, firent sur moi une profonde impression. Je lâchai la cage, la saisis de nouveau : il me sembla que les secousses y étaient moins sensibles que la première fois. Cependant, il n'y avait pas de doute : un mystère habitait cette cage d'ascenseur.

Je ne saurais dire pourquoi, mais à partir de ce moment, je ne considérai plus cet ascenseur comme une servitude. Je trouvai dans cette anomalie quelque chose de rassurant. Réflexion faite, cet ouvrage de ferronnerie constituait l'attrait principal de mon studio et le sauvait sans doute de la banalité.

Les chocs de tout à l'heure, les bruits de lime, les frémissements, tout s'était tu. Le puits avait retrouvé son silence et son immobilité. Le volcan était éteint. Mais je restai l'oreille collée contre la cage de l'ascenseur.

Il me sembla que j'avais dormi. Quand je repris conscience, mes doigts étaient introduits dans la grille et je sentis la froideur du fer contre mes chevilles nues.

Je n'eus pas le courage de vider mes valises, qui se trouvaient toujours où Gilbert les avait déposées. Tout ce que je pus faire fut de fumer deux ou trois cigarettes, mais ne trouvant point de cendrier, je jetai lâchement les cendres puis les mégots dans la cheminée de l'ascenseur.

Je ne me sentais pas d'humeur, non plus, à aller m'acheter de quoi dîner. Je décidai de partir à la recherche d'un restaurant.

La nuit était tombée comme je traversai la cour. L'homme d'hier après-midi s'y trouvait. Il me regarda avec cette fixité qui m'avait tellement frappée la première fois. Il était debout devant la fosse grande ouverte, à côté de laquelle brûlait un brasero. Ses cheveux, ses yeux, ses vêtements étaient éclairés par la braise. Cette vision me rappela Fogo, le personnage d'un de mes livres d'enfant, une sorte de démon aux cheveux de feu, aux doigts de flamme, aux biceps rougeoyants, qui vivait au fond d'un volcan et en faisait sortir le feu quand il le voulait.

En réalité, Fogo ne m'avait jamais paru tellement redoutable malgré la couleur vermillon vif dont l'avait doté le dessinateur. Je lui trouvais même un air bon enfant. De plus, j'adorais sa devise, que je n'avais pas oubliée, contrairement aux vers de Louise Labé : « Qui est près de moi est près du feu. »

Je crois que j'étais restée secrètement amoureuse de Fogo. Par fidélité à ce premier amour, je décidai de donner ce nom à mon mystérieux voisin.

IV

J'étais assistante chez un dentiste, M. Monchanin. Mon travail était simple et nullement désagréable. Il consistait à fixer des rendez-vous par téléphone, à préparer les feuilles de maladie, à recevoir les visiteurs médicaux, à écrire aux différents instituts avec lesquels M. Monchanin était en rapport, à ouvrir la porte aux patients et à les faire passer dans le salon d'attente, ce qui, de toutes mes fonctions, était celle que je préférais.

Mon travail nécessitait aussi quelques compétences précises dont j'étais très fière. Il fallait malaxer des pâtes d'empreinte, préparer les plateaux d'instruments, mettre les instruments à stériliser, développer les radios...

Certains patients avaient fini par me connaître; ils avaient changé leur « bonjour mademoiselle » en « bonjour Marion »; quelques-uns me serraient la main, les plus attentionnés se lançaient dans des commentaires aimables du genre « toujours en forme? » ou « heureusement que vous êtes là! ».

M. Monchanin ne m'employait que trois jours par semaine, ce qui expliquait la modicité de mes revenus et

21

les loisirs dont je disposais. Ceux-ci m'étaient précieux et j'étais trop paresseuse pour chercher un travail d'appoint que, peut-être, je n'aurais pas trouvé.

Le cabinet de M. Monchanin était situé au fond d'une cour agrémentée, comme la mienne, d'un bouquet de verdure ; il était au rez-de-chaussée, si bien que je n'avais jamais eu l'occasion d'utiliser l'ascenseur de la maison et pas davantage eu l'idée de jeter un coup d'œil sur la cage qui se trouvait à la porte du cabinet. Cependant, après mon déménagement, je me surpris un jour, arrivant à mon lieu de travail, à considérer avec intérêt cet ascenseur. Je le comparai au mien, lequel sortit grandi de cette confrontation. J'en retirai un sentiment d'orgueil qui m'amusa. Après tout, j'avais à vivre une période de transition : les ascenseurs allaient m'apporter un divertissement, peut-être une passion.

M. Monchanin avait le caractère froid et distant qu'ont souvent les hommes grands et minces. Cependant, il n'avait pas son pareil pour rassurer ses patients par la douceur de ses gestes et la clarté de ses diagnostics, ce qui lui valait, outre son savoir-faire et sa compétence, une clientèle nombreuse et fidèle.

Je m'habituais assez mal à cette rigueur dont il ne se défit jamais sauf un jour où, ayant moi-même besoin de soins, il me traita avec les mêmes égards que ses autres clients, ce qui m'amena à souhaiter avoir mal aux dents plus souvent.

La femme de M. Monchanin passait le voir à son cabinet presque quotidiennement. C'était une petite femme industrieuse et empressée, qui compensait la froideur de son mari par le zèle et la gentillesse dont elle m'entourait. Une fois même, Mme Monchanin m'avait demandé de venir dîner chez elle : mais, soit qu'elle n'y eût plus pensé, soit que son mari l'en eût dissuadée, elle ne m'en avait plus reparlé.

Depuis quelque temps, Mme Monchanin me trouvait nerveuse. Elle imaginait que j'avais des soucis. Je la détrompai avec véhémence. Je lui parlai cependant de ma rupture avec Jean, des bienfaits que j'en escomptais, et je lui donnai ma nouvelle adresse.

Mme Monchanin m'agaçait un peu. Elle me faisait apprécier, par contraste, le silence de son mari.

Un jour, je fournis, je crois, à Mme Monchanin un réel sujet d'inquiétude. Je lui posai, à brûle-pourpoint, la question suivante :

— Vous avez déjà utilisé votre ascenseur ?

— Quel ascenseur ? dit Mme Monchanin de sa petite voix fureteuse.

— Mais le vôtre ! Celui que vous avez ici !

— Mais pourquoi voulez-vous que je l'utilise ? Je ne connais personne dans la maison et... nous sommes au rez-de-chaussée.

Je répliquai avec espièglerie :

— Mais vous auriez pu l'emprunter comme ça, pour le plaisir, pour la curiosité, pour connaître sa... son maniement...

Mme Monchanin me regardait avec stupéfaction. Elle répondit néanmoins gaiement :

— Eh bien, Marion, je l'utiliserai. Vous avez raison : le cabinet est installé ici depuis dix-huit ans et je n'ai jamais pris cet ascenseur. C'est à peine si je me souvenais qu'il y en avait un. C'est drôle, n'est-ce pas, on côtoie des choses tous les jours et on ne les voit pas.

Je repris le cours de mon travail. La vibration frêle et précise de la roulette s'élança, me faisant penser au glissement rauque de certains ascenseurs qu'on voyait encore dans quelques maisons anciennes.

Mme Monchanin quitta le cabinet vers cinq heures. Je restai seule avec son mari.

Un nouveau client de M. Monchanin, M. Orange, vint un jour au cabinet. C'était un homme d'une quarantaine d'années qui me mit d'emblée mal à l'aise. Tout le temps que durèrent ses soins, il m'observa pendant que j'allais et venais dans la pièce. Par la suite, il trouvait toujours le moyen de se créer quelque nouvel ennui dentaire pour avoir l'occasion, en prenant rendez-vous par téléphone, de converser avec moi sans que M. Monchanin entendît. J'enregistrais avec lassitude ses invitations à dîner, à sortir, à je ne sais quoi. Je le coupais au milieu de sa phrase :

— Alors, monsieur Orange, vendredi seize heures, cela vous va ?

La journée passait. Le dernier client partait. Je rangeais le cabinet. M. Monchanin me faisait chaque soir la même

24

recommandation, en s'obstinant à ne pas m'appeler Marion :

— Prenez bien soin de fermer tout, mademoiselle, électricité, portes, tiroirs...

Il prenait son chapeau, revêtait son pardessus en poil de chameau, un récent cadeau d'anniversaire de sa femme, et sortait sans aucun commentaire.

Ayant vaqué aux menus détails que nécessitait la fermeture du cabinet, je le quittais à mon tour.

Un soir, agacée plus que de coutume par les prévenances de Mme Monchanin, par la sécheresse de son mari, je pris l'ascenseur, à côté du cabinet. Je montai au dernier étage. Il me semblait que j'abordais un lieu défendu. La maison était silencieuse, abandonnée, un peu inquiétante. J'eus peur. Des portes allaient s'ouvrir : on me prendrait en flagrant délit, on me soupçonnerait, on me chasserait ! Je me hâtai de redescendre.

Une fois dans la rue, je me sentis ragaillardie, comme lorsqu'on a joué un bon tour à quelqu'un.

V

Gilbert mis à part, je n'avais pas d'amis. Ceux que je connaissais avant ma rencontre avec Jean s'étaient éloignés. Je n'avais plus guère fréquenté, depuis, que les amis de Jean. Ceux-ci, à cause de mon caractère sauvage, me regardaient avec un peu de détachement. Cependant, j'avais conservé des relations très cordiales avec un couple que nous recevions souvent à dîner, Jeanne et Samy.

Je les rencontrai un soir près de chez moi. Bravant l'éventuelle hostilité de Jean, ils m'accompagnèrent chez moi pour connaître mon nouveau logement.

Sa particularité, après les avoir un instant consternés, les amusa et leur inspira une foule de recommandations et d'avis. Ce fut à celui des deux qui se montrerait le plus ingénieux pour trouver un moyen de masquer, de voiler, de déguiser et, dans le meilleur des cas, d'utiliser cette disposition de mon studio. Ils me conseillèrent des tentures, des paravents, des boiseries, des ouvrages de maçonnerie. Toutes ces solutions ne m'attirèrent guère. Ce qui me paraissait le plus sage, c'était encore de laisser cette cage d'ascenseur telle quelle, comme un décor naturel. Cette solution, outre qu'elle satisfaisait ma tendance à l'inertie, avait aussi l'avantage de flatter un certain goût du théâtre et du fantastique que j'avais.

Je me renseignai chez un droguiste sur le moyen d'entretenir la ferronnerie. Sa restauration et son entretien furent une précieuse occupation.

Alerté par ses amis, Jean lui-même me rendit visite un mois après mon installation. Ses yeux s'assombrirent quand il vit où j'avais élu domicile. J'eus vite fait de le rassurer, en lui faisant valoir à quel point cette cage d'ascenseur était essentielle à l'attrait de ma nouvelle demeure.

Jean en convint, mais, conformément à son caractère prévoyant et mesuré, il tint à connaître la raison de cette anomalie. Il m'entraîna chez les sœurs Pinson. Celles-ci furent impressionnées par l'élégance et la courtoisie de mon compagnon. Je crois que je remontai dans leur estime.

Les jumelles ne se firent pas prier pour donner à Jean les informations que je n'aurais jamais eu la curiosité de demander :

— Notre père, dit l'une d'elles sur un ton un peu précieux, notre père était un homme remarquable, de haute valeur morale : il faisait confiance à la modernité.

L'autre ajouta plus modestement :

— Et à la rentabilité...

La première poursuivit l'explication :

— Notre père a transformé cet immeuble en le partageant. C'est un immeuble de type haussmannien, comme vous voyez, il voulait en faire un immeuble de rapport. Elle accompagna l'adjectif « haussmannien » d'un clin d'œil à mon adresse. Sans doute estimait-elle que je ne pouvais pas comprendre ce mot.

Elle enchaîna :

— Chaque appartement a donc été séparé en deux. Et l'on a fait construire un ascenseur que la maison ne comportait pas à l'origine.

L'autre sœur précisa :

— Voilà tout le mystère ; lorsqu'on a construit l'ascenseur dans la maison, l'entreprise a entreposé son matériel au second étage, à l'emplacement du studio de votre... de mademoiselle...

La première sœur coupa court aux hochements de tête embarrassés de Jean :

— Naturellement, à la mort de mon père, les travaux ont été interrompus et le second étage, ce fameux étage... avec l'ascenseur, n'a jamais été terminé.

L'autre sœur compléta :

— L'ascenseur n'a jamais été mis en marche. Pourtant il était terminé, et prêt à fonctionner. Il suffisait, je crois, de quelques réglages de la machinerie en sous-sol.

La première conclut enfin :

— Ajoutez à cela que la cage de l'ascenseur est en fer forgé, que les portes ouvrent à la française...

Le mot « française » fit grande impression sur Jean. Il le salua d'un mouvement de tête déférent. Je n'aurais pas été autrement surprise s'il s'était mis au garde-à-vous devant les deux vieilles dames. Avec leur costume identique, leurs dentelles du même point, la teinte bleutée de leurs cheveux, celles-ci évoquaient un patriotisme désuet, un peu irréel, haussmannien pour tout dire !

Nous quittâmes le « chalet ». Jean semblait satisfait. Ce n'était pas mon cas. Ces explications compliquées et inutiles avaient gâché ma bonne humeur.

Jean ne s'en rendit pas compte, naturellement ; mais, m'ayant une fois de plus affirmé que je pouvais l'appeler à tout moment si j'avais besoin de lui, brusquement très pressé il me laissa.

Quelques jours se passèrent. J'oubliai cette entrevue. Je m'habituais à ma vie solitaire. Après tout, celle-ci n'avait pas que des inconvénients. Je n'avais plus besoin, par exemple, de faire le ménage tous les jours, ni le marché, ni la cuisine. Désormais, je mangeais ce que je voulais, quand je voulais, me nourrissant parfois d'une tranche de jambon que j'avalais debout, d'une boîte de conserve, ou bien d'un plat préparé que je faisais réchauffer sans y prêter attention.

Mes repas n'étaient en rien ennuyeux. Ils me changeaient des soins attentifs et de l'imagination constante qu'avait réclamés le délicat appétit de mon compagnon de vie pendant sept ans.

Je me souviens qu'une fois, une seule, au cours des sept années passées ensemble, Jean avait tenu à s'occuper lui-même du déjeuner, depuis le marché jusqu'à la vaisselle. C'était le jour de mes vingt-sept ans, il y a presque trois ans. Dans les grandes occasions, Jean était parfait. Il n'eut pas son pareil pour accompagner la journée de mille délicatesses, toutes inattendues et charmantes ; il fut tendre, amoureux, spirituel. Il imagina un agencement subtil du temps, celui du repas, celui de la promenade, celui du cinéma, la quatrième partie de la journée étant consacrée à l'amour que je m'efforçai, comme chaque fois, de faire avec vaillance.

La solitude avait d'autre avantages. Je pouvais, si je voulais, faire la grasse matinée. Du fond de mon lit, je tâchai de découvrir dans les sonorités qui envahissaient la maison celle dont je pourrais me faire un porte-bonheur pour la journée. J'avais le choix entre les quelques mesures d'une chanson, le roucoulement de pigeons invisibles, un enfant qui passait dans l'escalier en sifflant, un bruit de pas dans la cour, enfin la rumeur imprécise qui provenait de la cage de mon ascenseur. C'est à quoi, toujours, s'arrêtait mon choix.

Cette colonne qui traversait ma chambre devint un élément essentiel de mon paysage familier. Bientôt, je ne vis plus très bien par quoi j'aurais pu la remplacer. Et puis mon studio était vaste. Il était situé dans une maison de pierre comme il en existe peu dans ce quartier de la ville ; j'avais de l'espace, de la lumière, de l'air. Ma fenêtre donnait sur le mur de la maison d'en face, où les arbres nains d'un jardinet suspendu rafraîchissaient la vue. Ma vie se déroulait dans l'humour, la légèreté, la frivolité. Ces trois vertus adoucissaient ma solitude et aboutissaient à une quatrième, comme pendant la journée préparée par Jean : ce n'était point l'amour mais la liberté.

VI

Un soir que je quittais le cabinet, M. Orange m'attendait sur le trottoir :

— J'avais observé que vous sortiez à dix-neuf heures, dit-il.

— Pas tous les jours, répondis-je avec gaieté.

Il fut sans doute étonné que je réagisse si aimablement. Il balança au bout de son bras la serviette un peu ridicule qui lui était parfaitement assortie.

— Vous avez sans doute eu une dure journée ?

Cette fois je répliquai sèchement :

— Pas plus dure que les autres.

M. Orange ne remarqua pas mon changement de ton :

— On va prendre l'apéritif ? dit-il.

Je n'en avais nulle envie. J'acceptai néanmoins. La perspective de rentrer tout de suite chez moi ne me disait rien. Après tout, je n'avais jamais parlé avec M. Orange. Peut-être savait-il être drôle. Et la persévérance qu'il avait mise à me poursuivre méritait bien quelque égard.

Dès que je fus dans le café, je me désintéressai de M. Orange. Je répondis distraitement lorsqu'il me demanda ce que je voulais boire :

— La même chose que vous, pourvu que ce soit de l'alcool.

J'avais remarqué une femme à chevelure platinée, assise non loin. Elle me regarda fixement pendant toute la durée de mon entretien avec M. Orange. Je n'en ressentis aucune gêne. Il me semblait au contraire que j'avais besoin de cette présence, de ce regard, pour me préserver de mes sottes tentations.

M. Orange parlait sans arrêt et mettait un acharnement volubile à vouloir me convaincre. Je regardais briller la dent en or que venait de lui poser M. Monchanin.

Emporté dans son discours, M. Orange me fit savoir que je lui plaisais beaucoup, qu'il rêvait de moi souvent, qu'il dormait mal à cause de moi. Les pensées les plus simples me traversaient l'esprit : le confort et l'attrait de mon studio à améliorer ; l'ascenseur à entretenir ; une petite fête que je pourrais organiser chez moi pour mes trente ans, en guise de « crémaillère » ; l'espoir aussi, peut-être, d'une visite de Gilbert.

Je sortis de mes rêveries. Je retrouvai M. Orange au point où je l'avais laissé : je lui plaisais de plus en plus, il dormait de moins en moins... Quant à la fameuse dent, elle ponctuait de plus belle la véhémence de ses propos.

Tout à coup, avisant la femme qui nous regardait, M. Orange s'écria :

— Mais elle nous espionne, ma parole !

Dieu sait pourquoi, cela me gêna qu'il eût remarqué cette femme.

M. Orange prit l'habitude de venir me chercher après mon travail. Il m'emmenait toujours au même café, où nous finîmes par avoir nos habitudes. La femme à la chevelure platinée était en général présente. Une étrange relation s'établit bientôt entre elle et moi. M. Orange dut se demander si nous n'étions pas complices. Il souhaita me rencontrer dans un autre café. Je refusai. Cet acte de bravoure me donna un peu de plaisir.

Malgré l'insistance de M. Orange, nos relations se seraient sans doute bornées à ces apéritifs si, un matin, dans une rue voisine, je n'avais rencontré Jean en compagnie d'une fille très jeune. Il la tenait par la main avec la désinvolture et l'élégance qu'il avait toujours dans ses relations amoureuses. L'après-midi qui suivit, j'eus une efficacité que jamais M. Monchanin ne m'avait connue. Une violence invisible m'inspirait des gestes précis, hardis et, le soir, après que M. Orange m'eut fait boire un peu plus que d'habitude, j'acceptai de continuer la soirée dans un restaurant où je bus encore. Je me trouvai bientôt chez moi, sans savoir si je l'avais voulu, en compagnie de M. Orange. Je lui offris un petit verre de stregha, la liqueur italienne que nous avions rapportée, Jean et moi, d'un voyage à Vérone. Naturellement, nous y avions vu le balcon des fameux amants et Jean, avec sa dérision distinguée, avait alors disserté sur l'amour, ses folies, ses drames, assurant que le véritable amour devait se tenir à l'écart de tout excès. J'avais acquiescé.

M. Orange, le verre à la main, s'agitait devant l'ascenseur :

— Ça alors, ça alors ! Vous n'avez pas peur avec ce truc-là ? Pas peur des courants d'air, des voisins, de la promiscuité ? Ça alors, je n'ai jamais vu ça !

— L'ascenseur ne marche malheureusement pas, dis-je sur le ton de la plus grande déconvenue.

— Encore heureux, encore heureux, balbutiait M. Orange. Vraiment je ne comprends pas, je ne comprends pas comment vous pouvez vivre ici !

— Pourquoi donc, monsieur Orange, pourquoi ?

— Parce que c'est invivable, ma parole !

— Invivable ? Je ne vous comprends pas.

— Littéralement invivable, répliqua M. Orange, littéralement !

Je pris un petit ton doucereux :

— Comment donc ? J'ai du calme, de l'espace, j'ai une belle vue sur la cour, il y a un mûrier...

— Oui, oui, mais cette monstruosité-là...

— Quelle monstruosité ? fis-je avec toute l'innocence que le permettait mon état d'ébriété.

Je m'approchai de l'ascenseur. Je caressai le métal du bout du doigt. J'y posai ma joue, tendrement :

— Vous appelez cela une monstruosité. Oh, monsieur Orange, comme vous connaissez mal la vie. Cet ascenseur est mon ami. Regardez ! Je le cajole, je le dorlote. Je l'aime ! Je crois que je ne pourrais plus me passer de lui.

— Vous êtes folle, ou quoi ! s'écria M. Orange.

Il était si perturbé qu'il ne parvint pas à boire le verre de liqueur bien qu'il y trempât de temps en temps ses lèvres avec de petits gestes agressifs.

La verve de M. Orange était tarie. J'en eus pour lui :

— Voyons, monsieur Orange, rassurez-vous : nous sommes seuls ici, personne ne nous espionne et je vous jure que nos paroles ne sont pas enregistrées.

M. Orange ne trouvait à redire que :

— Vous êtes folle, ma parole, vous êtes folle ! Complètement folle !

— Que croyez-vous donc ? Ma cage d'ascenseur n'est pas le trou d'un souffleur, ni un endroit pour voyeurs ! Vous avez de drôles d'idées, vraiment !

— Très bien, très bien, se borna à répéter M. Orange.

Prétextant une soudaine migraine, il me quitta, descendant si précipitamment l'escalier que je suivis sa fuite aux secousses bruyantes qui s'inscrivaient sur le métal de l'ascenseur.

Cette visite, sans doute, eut un effet bénéfique sur les caries de M. Orange : jamais plus il n'eut recours aux soins de M. Monchanin.

VII

C'était un samedi après-midi. Je ne travaillais pas chez M. Monchanin. On frappa à ma porte. Pour la première fois on me rendait visite. Mon cœur battit. J'ouvris. C'était Gilbert.

Il apportait un tapis roulé aussi haut que lui et une lanterne vénitienne qui, me dit-il, était du même fer forgé que celui de la cage de l'ascenseur.

J'embrassai Gilbert sur les joues avec un plaisir si particulier que j'écourtai mon effusion.

Gilbert paraissait détendu. C'est moi qui dus montrer un visage sombre. Il tenta de me ragaillardir :

— Eh bien, Marion, tu n'es pas contente de me voir ?

— Oh si ! dis-je précipitamment, plus troublée que je n'aurais voulu l'être.

Gilbert ne remarqua rien :

— Regarde le tapis que je t'ai apporté. Il te plaît ?

Il le déroula :

— J'ai pensé que le rouge irait bien avec ta chambre, et avec ton volcan ! C'est une bonne idée ?

Je n'osai pas répondre, de peur que ma voix ne trahît

mon émotion. Je m'approchai de Gilbert pour l'embrasser. Il s'esquiva.

Il s'enquit d'une chaise et la porta à côté de l'ascenseur. Il s'y hissa pour installer la lampe.

J'avais toujours apprécié, chez Gilbert, un esprit pratique et une adresse qui me faisaient complètement défaut. Je le regardai avec admiration. Il avait l'air d'un géant. Il alluma la lampe. La cage entière fut parcourue de reflets rouges qui lui donnèrent une allure théâtrale.

Il redescendit content de lui et du spectacle qu'il avait produit. Il se mit à découper le tapis pour y pratiquer l'échancrure nécessaire. Il travaillait en silence. Je me tins debout à côté de lui, immobile. Je ne perdais pas un seul de ses gestes, comme si chacun d'eux m'était destiné. Gilbert s'acharna longtemps sur le tapis. Il finit par parvenir à ses fins. Le tapis contournait parfaitement la cage de l'ascenseur. Je voulus le féliciter. Mais, soudain, saisi d'une idée, il me dit qu'il allait revenir tout de suite et sortit. Son pas se propagea joyeusement sur l'armature de l'ascenseur.

Je demeurai seule, traversée par une émotion que je n'avais pas connue depuis longtemps. Gilbert était jeune, un peu fou, gracieux. J'étais heureuse en sa compagnie. Après tout, je n'avais que quatre ans de plus que Gilbert. Notre enfance commune à Clorivière nous avait appris à être heureux ensemble. J'étais sûre qu'il n'avait pas oublié nos tendres moments, la fraîcheur de notre amitié, la campagne et la forêt pour nous tout seuls, et puis le ruisseau...

Ma rêverie n'eut pas le temps de se poursuivre. La porte

s'ouvrait déjà. Gilbert reparut. Il tenait dans ses bras une de ces marionnettes qu'on vendait à *Pierrot mon ami,* le magasin que j'avais remarqué dans ma rue.

— Tiens, pour ton anniversaire, dit-il.

— Tu sais donc...

— Oui, bien sûr, dans trois semaines tu as trente ans.

Je regardai la marionnette. Celle-ci représentait un homme solidement musclé, une jambe légèrement plus courte que l'autre, me sembla-t-il. Son vêtement était fait d'une tunique de couleur rouge qui laissait passer le bras droit et l'épaule. Sur le dos de la poupée étaient attachés les signes distinctifs de sa fonction : tenaille, marteau, enclume en miniature.

— C'est Vulcain ! proclama Gilbert.

— Vulcain ?

— Le dieu du feu, du travail et des métaux : c'est du moins ce que m'a expliqué Colombine.

— Colombine ?

— La vendeuse de *Pierrot mon ami.*

La justesse et l'humour de ce cadeau m'émurent. La relation qui pouvait s'établir entre ce Vulcain, le Fogo de mes légendes enfantines et l'homme dans sa fosse, était en effet troublante. Je voulus l'expliquer à Gilbert ; cela me parut si compliqué que je ne trouvai pas le premier mot.

Gilbert reprit la parole :

— C'est aussi le dieu de la foudre et des incendies. Il les déchaîne et il peut les éteindre.

— Et toi, Gilbert, est-ce que tu...

Il m'interrompit :

41

— Ce n'est pas une bonne idée pour aller avec ton... avec ton volcan ?

De nouveau grimpé sur la chaise, Gilbert accrochait Vulcain à mi-hauteur, sur la cage. Il ajouta :

— Trente ans, ça se fête !

— Merci, Gilbert ! Tu sais, je crois que je...

— Voilà, dit Gilbert brusquement, comme s'il redoutait les mots que j'allais dire, Vulcain te tiendra compagnie.

Je n'avais jamais vu Gilbert si heureux. Je n'osai pas lui en demander la raison, craignant qu'elle ne fût désagréable à entendre.

Juché là-haut, Vulcain me regardait avec ses yeux immobiles et flamboyants.

Je m'assis sur le lit :

— Viens t'asseoir, Gilbert, tu dois être fatigué.

Ma jupe était un peu remontée. Gilbert s'approcha. Je l'observai. Il s'assit et se mit à me parler sans le moindre indice de trouble :

— La prochaine fois, je t'apporterai un livre sur les ascenseurs.

— Sur les ascenseurs ? dis-je d'une voix plate.

— Sur les ascenseurs en miniature.

— En miniature ?

— Cela ne t'amusera pas ?

— Je ne sais pas, répondis-je, saisie par une irritation vague, mais insistante.

— Telle que je te connais, tu seras enchantée, dit Gilbert avec assurance.

Je repris le dessus :

— Certainement, cela me fera très plaisir. Mais tu crois que ça existe, ce genre de livre ?

— Il y a des modélistes qui font des bateaux, des voitures, des trains. Pourquoi pas des ascenseurs ?

— En effet, pourquoi pas...

Il précisa :

— Et d'ailleurs, tu sais, à Danièlange...

— Danièlange ?

— Oui, la ville où je vais m'installer maintenant.

— Ah bon, dis-je sans insister, pressentant une réponse désagréable.

— Oui, reprit Gilbert, eh bien à Danièlange, il paraît qu'un téléphérique traversait la ville, et même une maison...

— Une maison ? Ce n'est pas possible ! prononçai-je pour dire quelque chose.

— Pourquoi, pas possible ? Ton studio est bien traversé par un ascenseur !

— C'est vrai.

Gilbert triompha :

— Alors ! par un téléphérique ? Ce serait encore plus drôle, non ?

La bonne humeur, la fantaisie de Gilbert, inhabituelle, finirent par me gagner. Nous avons bu, ri, plaisanté comme deux gamins : nous avons terminé la bouteille de stregha. Toutes les plaisanteries concernant les ascenseurs y passèrent. Je parlai à Gilbert du vieil ascenseur hydraulique, doté d'un strapontin et d'une paroi en rotin ajourée, qui se hissait, centimètre par centimètre comme un vieillard poussif, chez ma tante Marie, morte en même temps que l'ascenseur.

Tout fut gai et léger durant cette soirée. Je voyais passer les minutes avec de plus en plus de plaisir. J'espérais qu'il serait bientôt trop tard pour que Gilbert repartît. Il devrait donc passer la nuit ici.

Je fus complètement désemparée lorsque, vers deux heures et demie du matin, Gilbert se leva brusquement et me dit au revoir. Il m'embrassa sur le front, sans façon, et se dirigea vers la porte.

Je ne sais s'il remarqua ma déception. En tout cas, il fit un effort pour la dissiper par une ultime plaisanterie :

— Tu sais comment, en Chine, on appelle un ascenseur ?

— Non.

— En appuyant sur le bouton !

VIII

Les jours qui suivirent furent mornes. La visite de Gilbert me laissait une impression de lassitude. J'avais envie de jeter Vulcain par la fenêtre, ou de le précipiter dans la cage de l'ascenseur.

Ma vie fut hachurée d'incidents mi-sérieux, mi-frivoles. Je me sentais vieillir. Parfois j'étais au comble de l'exaltation et de la vitalité ; je me levais de bonne heure, j'allais, venais, industrieuse, rapide, précise. D'autres jours, je restais des heures sur mon lit à fumer des cigarettes ou à me vernir les ongles des pieds.

J'étais saisie par des bouffées d'extravagance. Je me sentais une passion pour les ascenseurs. J'avais éprouvé une jouissance bizarre lors de mon ascension chez Monchanin. La découverte des hauteurs de la maison où je travaillais depuis sept ans avait été une aventure pleine de charme et d'imprévu malgré la peur que j'en avais retirée. Je renouvelai l'expédition. Celle-ci me laissa un sentiment de faute, de honte. Une autre fois, je changeai de quartier, j'avisai une maison bourgeoise dont je franchis la porte. Je découvris un superbe ascenseur. J'admirai le détail de la

45

cage, les sculptures, les arceaux et les volutes de l'ouvrage de ferronnerie. Je pris cet ascenseur. Il était lent. Il produisait une musique grave qui ressemblait presque à une voix d'homme.

J'étais d'ordinaire une fille sensée. Jean lui-même, l'homme de la mesure, m'avait souvent reproché mon manque d'imprévu et de poésie. Jean me connaissait mal. En réalité, les choses m'inspiraient souvent une sorte de fièvre, de ferveur, d'extase. Je les aimais avec une innocence gloutonne, je les rejetai comme un jouet cassé.

Je retrouvais un peu d'ardeur, chaque jour, à observer le labeur silencieux de Fogo. Il se tenait debout dans la fosse dont il ne dépassait que par le haut du corps, comme s'il était en train d'aménager son propre tombeau. En vérité, je n'aurais pas été autrement étonnée qu'il eût extrait de cette fosse un crâne ou un tibia.

Au milieu de ces divagations, le mûrier apportait sa verdure apaisante. Bien qu'il ne lui ressemblât guère, il m'évoquait le cyprès qui abritait la tombe de mon père au cimetière de Clorivière. Mon pauvre père ! J'avais toujours trouvé ridicule cette manie qu'il avait de fréquenter les morts avec ses tables tournantes. N'étais-je pas en train d'agir de même quand, dans l'étourdissement de mon premier sommeil, j'imaginais que le puits de mon ascenseur communiquait avec un monde mystérieux et redoutable, et même qu'il conduisait directement aux enfers.

Un soir, je trouvai l'une des jumelles en sentinelle dans la cour. Je fus intriguée par la politesse exceptionnelle de son accueil :

— Bonjour, mademoiselle Marion ! Au fait, cela va-t-il ?

Je répondis avec agacement :

— Pourquoi cela n'irait pas ?

— On ne sait jamais, reprit la vieille avec un sourire.

Ce sourire m'intrigua. J'étais sûre qu'il se rapportait à Fogo. Je montrai la fosse :

— Que fait-il ?

La vieille dame chuchota :

— Vous ne le savez pas ?

— Non.

— Hé bien, tant mieux !

— Comment, tant mieux ? dis-je en la poursuivant jusqu'à la porte de son « chalet ».

Elle fit mine de me quitter sans autre commentaire. Elle eut sans doute pitié de mon visage inquiet :

— Demandez-le-lui, dit-elle.

Elle sourit encore. Je n'eus pas le temps de la relancer. Elle ouvrit sa porte et disparut.

Je n'osai pas suivre son conseil. Fogo m'impressionnait. J'étais sûre qu'il n'aurait répondu à aucune de mes questions. Son silence m'aurait blessée.

Je trouvai un bout de place dans un restaurant proche, bon marché mais bondé, où j'avais décidé de dîner par paresse de m'acheter de quoi manger. Je me dépêchai d'avaler le céleri rémoulade, la côte de porc, la crème caramel que proposait le menu du jour. J'étais énervée ; je faillis exploser quand la serveuse fouilla interminablement dans son tablier pour me rendre la monnaie.

Je quittai le restaurant. La pluie s'était mise à tomber. J'avais froid. Décidément, ce n'était pas encore le printemps ! Je me hâtai de rentrer. Fogo était toujours devant sa fosse. Il avait allumé son brasero. Dans la lumière rougeoyante, il avait vraiment l'air de Vulcain à sa forge.

De la fosse ouverte se dégageait une odeur agréable. Je traversai la cour lentement, sans me retourner ; je montai chez moi en m'arrêtant sur chaque marche de l'escalier. Un homme que je n'avais pas entendu venir se trouva à côté de moi.

Naturellement, il m'était arrivé de croiser dans la cour ou dans l'escalier plusieurs habitants de la maison. Jamais je n'avais fait attention à eux. Je ne reconnus pas cet homme.

— Il essaie de réparer l'ascenseur, me dit-il sans préambule, d'une voix ferme mais courtoise.

— Qui ça ?

L'homme me parcourut d'un de ces regards que je connaissais bien. Sa voix chantante et apprêtée disait clairement, à la première syllabe, ce qu'elle espérait de moi :

— J'habite la maison. Vous aussi je suppose ?

— Oui.

— Ainsi nous sommes voisins. Hélas, on peut vivre dans la même maison pendant des années et ne jamais se rencontrer.

— C'est parfois mieux comme ça, non ?

48

— Dans certains cas c'est dommage, vous ne trouvez pas ?

Je brusquai les choses :

— Vous croyez qu'il réussira ?

— Qu'il réussira quoi ?

— A faire marcher l'ascenseur.

L'homme eut un sourire :

— Je parie que vous êtes la locataire du...

— Oui, j'habite le studio en question.

— Eh bien, permettez-moi de me présenter. Je suis ingénieur. Je m'appelle Zande. Marcel Zande. Je puis vous dire qu'il n'y parviendra pas.

— Qu'en savez-vous ? dis-je avec une brutalité qui sembla étonner M. Zande.

Il répondit posément, cependant :

— C'est un très vieil ascenseur qui n'a jamais fonctionné, je crois. Il ne marchera plus. C'est d'ailleurs pourquoi nous laissons faire cet homme. Il faut à chacun, dans la vie, un rêve un peu fou, irréalisable, n'est-ce pas ?

Je n'écoutais plus et me précipitai chez moi. J'avais besoin de réfléchir à ce qui venait de se passer.

Qui était Fogo ? Savait-il que j'habitais cette maison ? Connaissait-il la particularité de mon studio ? Et s'il la connaissait, n'était-ce pas pour se signaler à moi qu'il réparait l'ascenseur ? Toutes ces hypothèses me passèrent par la tête. Aucune d'elles ne me parut vraisemblable. Je supposais que Fogo avait, comme moi, le goût de l'impossible, de l'absurde, de l'inutile. Comment expliquer autrement la gêne, le trouble dont il me remplissait ?

La cage de l'ascenseur, cependant, demeurait silencieuse. J'avais beau tendre l'oreille, passer le doigt sur le métal, je ne décelai pas le moindre des élancements qui, d'ordinaire, à ce moment de la journée, courait le long du grillage, donnant vie à Vulcain.

Le volcan paraissait éteint. Vulcain demeurait inerte. Je me déshabillai et me couchai. Dès que je m'endormis le volcan entra en éruption. Des flammes rouges et noires m'enveloppèrent, qui me meurtrissaient mais ne me brûlaient point. De formidables secousses agitaient le puits qui se mettait à vomir de la lave étincelante par jets puissants, saccadés, interminables. J'étais haletante, en sueur. Je poussais des hurlements qui déchiraient ma poitrine mais ne me faisaient pas plus mal que des soupirs. Je me réveillai avec un sentiment d'apaisement et de plénitude. Ma main s'était placée, malgré moi, entre mes cuisses. J'épiais les allers et retours de ma respiration essoufflée. Jamais je n'avais ressenti un trouble de cette nature. Pour en prolonger les effets, je voulus rester éveillée. Je n'y parvins pas.

Je n'avais pas une seule fois rêvé de Jean depuis notre séparation. Il revint plusieurs fois dans mes rêves cette nuit-là. J'étais une marionnette. Ma tête, mes bras, mes jambes se trouvaient liés à des ficelles que Jean agitait au-dessus de moi. Il commandait à mes gestes, à mes pas. Cette danse bouffonne durait jusqu'à ce que la marionnette fût apprivoisée. Alors elle désobéissait, se révoltait, cassait les fils qui la retenaient, puis repoussait Jean avec une telle violence que celui-ci allait s'encastrer dans l'ascenseur. Jean poussait un cri. Les câbles de l'ascenseur se rompaient. L'ascenseur tombait dans un énorme fracas. Je me réveillai.

On frappait à coups précis, non loin. Ces chocs provenaient de l'ascenseur. Je sentis une présence, le souffle d'un homme. J'évitai de bouger. Je crus percevoir quelques mots. Etait-ce la voix de Fogo ? Les mots avaient-ils été prononcés ? Appartenaient-ils à un langage ?

L'issue des réparations entreprises ne faisait plus de doute pour moi : l'ascenseur allait marcher. Je ne le redoutais pas. Au contraire, j'attendais ce jour avec espérance.

Un événement se produisit qui me détourna de ces pensées.

IX

Je reçus une lettre de Gilbert qui commençait comme ce conte des *Lettres de mon moulin* : « Tu vas fermer ton moulin pour un jour et t'en aller... » :

« Ma tendre Marion, tu vas quitter ton ascenseur pour un jour et venir nous voir. Je n'ai pas voulu te le dire la dernière fois, car ce n'était pas sûr : je me marie le trente de ce mois. Elle s'appelle Isabelle, elle habite Danièlange. Tu viendras, n'est-ce pas ? Il y aura la famille, des amis, on sera tous contents de te voir. Viens vendredi soir, nous pourrons parler un peu. Nous te réservons un hôtel, d'accord ? »

La lettre se terminait par ce post-scriptum : « Salue Vulcain de ma part. »

Cette lettre ne me causa aucun plaisir, mais que faire ? Je répondis que, naturellement, j'étais d'accord pour quitter Vulcain et mon ascenseur. Je comptais sur le voyage et ses imprévus pour venir à bout des îlots de tristesse dont j'étais entourée.

Le premier imprévu qui survint se déroula dans mon studio, pendant que je m'apprêtais.

J'étais encore à demi vêtue quand je sentis un courant d'air sur mes jambes. L'odeur d'huile que je connaissais montait par la cheminée de l'ascenseur. Je m'approchai. Les frémissements que j'avais souvent détectés se propageaient le long de la cage, y imprimant de minuscules secousses qui ébranlaient Vulcain, se prolongeaient sur le parquet, sur le mur de la chambre, secouant même mon guéridon. Je ne sais ce qui me passa par l'esprit. Je me revois encore, pressant mes cuisses et mes seins nus contre la carcasse de l'ascenseur qui agita mon corps de petits élancements. Je restai là jusqu'à ce que les saccades eurent baissé d'intensité, ou perdu leur pouvoir. Je me trouvai dans une position ridicule et même indécente. Cela m'était égal. Je gardai de ce moment une sensation de plaisir qui me réconfortait.

Je me vêtis d'une robe banale qui pouvait faire l'affaire pour le train, les visites, la cérémonie. Je me munis de mon sac de voyage en tissu écossais et descendis. Dans la cour, le trou de l'ascenseur était recouvert par deux planches sommaires sur lesquelles quelques bidons, quelques outils avaient été posés. Je ne vis pas Fogo. Les bruits, les frémissements de tout à l'heure avaient-ils réellement existé ? Avais-je été victime d'une hallucination ?

L'instant d'après, je n'y pensais plus. Par une fenêtre, un poste de radio jouait une chanson connue. Quelques rayons de soleil donnaient vie et lumière au feuillage du mûrier. Deux enfants levèrent les yeux sur moi. Je leur souris. Ils répondirent à mon sourire. Tout invitait à une fin de journée heureuse. Je me laissai aller au bonheur du moment, furtif, que la vie propose parfois.

Je parcourus la rue sans idée précise sur ce que je pouvais acheter comme cadeau de mariage. Mon regard fut arrêté par la vitrine de *Pierrot mon ami*, le magasin de marionnettes. J'y entrai. Je fus accueillie par la propriétaire, une femme entre deux âges. Le sourire semblait être l'ordinaire de son visage. Ses cheveux blancs étaient coupés comme ceux d'une jeune fille et, à la lumière des projecteurs qui abondaient dans le magasin, ils avaient l'air poudrés. Cette chevelure encadrait un visage menu et finement dessiné. Le tout faisait l'effet d'une marionnette heureuse au milieu d'un monde un peu guindé. D'emblée, je me sentis mal à l'aise. Je parlai la première :

— C'est bien vous, Colombine ?

J'entendis la voix cristalline d'une petite fille :

— Colombine ? Mais oui, c'est moi ! Mon nom vous convient-il ?

Je bredouillai :

— Mais, je ne sais pas... Oui, c'est joli, Colombine !

— C'est le nom que je me suis donné quand j'ai baptisé mon magasin *Pierrot mon ami*.

Colombine me regardait avec une gentillesse mécanique qui me désorientait et me faisait peur. J'eus envie de sortir tout de suite. Je n'osai pas. Colombine s'était approchée. Je crus qu'elle allait me prendre par la main. Elle me fixa avec des yeux qui brillaient comme deux perles :

— Vous aimez flâner ? Vous aimez voir et toucher de belles choses ?

Je répliquai hâtivement :

— Oui, oui...

— Eh bien, prenez du plaisir, reprit Colombine, jouissez de tout ce qu'il y a ici. Le plaisir est une chose rare de nos jours. Il est encore l'apanage des enfants, des fous, et de quelques femmes dans notre genre.

Je ne pus m'empêcher de dire :

— De quel genre?

— Mais le vôtre! Vous m'avez l'air si... vous voyez ce que je veux dire?

— Pas tellement, répondis-je en me sentant rougir.

— Avouez! fit Colombine. S'intéresser à des marionnettes, vous pour en acheter, moi pour en vendre, il faut être fou?

J'étais oppressée. Je cherchai une diversion :

— Je suis passée souvent devant votre magasin. Je n'avais jamais eu le courage d'entrer.

Colombine ne fit pas la réponse que j'attendais. Cela me détendit :

— Je vous comprends : le monde des marionnettes est un monde redoutable.

Au milieu des marionnettes sans doute classiques, Pierrot, Arlequin, Guignol, Pétrouchka, je remarquai un personnage qui ressemblait à Vulcain, en plus civilisé. Sa tunique était remplacée par une robe de pourpre qui lui couvrait tout le corps ; son visage et ses gestes semblaient plus doux, plus humains. Je confiai ma surprise à Colombine :

— Vous savez qu'on m'a offert presque la même marionnette!

— Ha! c'est vous qui avez hérité de mon Vulcain?

— Oui.

— Je l'aimais tellement ! J'ai eu du mal à m'en séparer.

— Je regrette...

— Ne regrettez rien ! Vulcain est un personnage exceptionnel, si fort, si viril ! Vous avez vu ses bras, ses épaules, ses jambes ! Et ses attributs suspendus dans les plis de sa tunique, l'enclume, le marteau, la tenaille, vous les avez admirés, je pense ?

Je n'y avais pas vraiment fait attention et je ne savais pas si je devais prendre au sérieux le discours de Colombine. Celle-ci poursuivait :

— Et la claudication ? Vous l'avez remarqué, sa claudication ? C'est très troublant pour une femme, n'est-ce pas ?

Je pris un ton détaché :

— Il a une jambe plus courte que l'autre, c'est ce que vous voulez dire ?

— Et vous savez pourquoi ?

— Non.

Colombine sembla poser un nouveau sourire sur son sourire. Son visage ne fut qu'une grimace. Sa voix se percha très haut :

— Vulcain a été précipité par Jupiter du haut de l'Etna.

Ce rapprochement était extraordinaire : n'avais-je pas failli jeter ma poupée dans la cheminée de l'ascenseur ? Je souris.

— Cela vous fait rire ? dit Colombine, un peu pincée.

— Je ris ? Non, je ne ris pas ! Mais, dites-moi, pourquoi a-t-il été précipité ?

— Un personnage comme lui, vous ne devinez pas ?

— Non.

— Il couchait avec Vénus, parbleu !

Cette fois je ris de bon cœur. Je montrai la poupée qui remplaçait Vulcain.

— Et celui-là, qui c'est ?

— C'est Héphaïstos, l'homologue grec de Vulcain.

A côté d'Héphaïstos se tenait une rangée de poupées qui se rapportaient à d'autres personnages mythologiques. Colombine ne put renoncer au plaisir de me les présenter :

— Ça c'est Zeus. Admirez le visage noble et majestueux que lui a donné l'artiste. Et puis la draperie qui enveloppe les jambes, remonte le long du dos et retombe en avant sur l'épaule gauche. Voyez comme il tient la foudre dans la main droite et son sceptre dans la main gauche.

Après Zeus, Colombine me fit admirer d'autres personnages mythologiques : Aphrodite, assise sur un globe, tenant dans une main une colombe et relevant de l'autre le bord de sa robe. Puis Héraclès avec l'arc, les flèches, le carquois, la massue disposés sur ses épaules...

Colombine abandonna les hauteurs criardes où elle avait juché sa voix. Ses mots roulèrent amoureusement dans sa gorge :

— Voici l'Enchanteur, le Chat botté ; vous les reconnaissez ?

— Bien sûr.

J'ajoutai, enivrée par cette drôle de revue :

— Et ça, c'est Mélusine, la Fée, et ça, l'Astrologue...

— Il y a bien sûr les marionnettes courantes, Guignol, Canezon, Pulcinella, dit Colombine très animée. Mais je préfère les marionnettes originales, celles qu'on ne trouve pas ailleurs.

Elle décrocha une marionnette et agita la croix qui retenait les ficelles reliées aux membres de la poupée. Elle la fit évoluer devant moi. Celle-ci me fit la révérence, puis se mit la main sur le cœur en levant les yeux au ciel, à la façon d'un amoureux qui implore un regard ou un pardon.

Mon « amoureux » était un mousquetaire parfaitement imité, avec sa croix dessinée sur son plastron, son chapeau emplumé, sa perruque soyeuse, et une épée qu'il portait fièrement à son côté. Sans oublier la moustache arrogante et touffue qui donnait au personnage l'aspect bravache, altier et provocant de tout vrai mousquetaire.

Cette marionnette me plut. J'y vis un cadeau espiègle.

— Je cherche un cadeau de mariage, dis-je brusquement.

Colombine parvint à dissimuler sa surprise :

— C'est un charmant projet, une attention d'une grande délicatesse. Que diriez-vous de la fée Mélusine ? Pour un mariage, une fée...

— Non, fis-je résolument, je crois que je vais prendre le mousquetaire !

Colombine parut déconcertée. Elle retrouva vite sa précision et son équilibre :

— C'est une idée sensible et raffinée, un mousquetaire ! Cela symbolise bien la vaillance, la fidélité, la foi : toutes qualités nécessaires au mariage, n'est-ce pas ?

L'appréciation de Colombine me parut si juste que la

petite perfidie de mon cadeau m'échappa. Mais je n'avais plus le temps d'hésiter. J'achetai le mousquetaire et le mis debout dans mon sac écossais, de sorte que la tête dépassait.

Je m'étais attardée plus longtemps que prévu dans ce magasin. Je me dépêchai de me rendre à la gare. Dans le train, je me trouvai assise à côté d'un homme chauve dont le gros nez se tournait sans cesse de mon côté. Je regardai par la fenêtre. Dans le jour qui tombait, le paysage s'étirait, terriblement ennuyeux. J'avais déposé le sac sur mes genoux. Mon voisin remarqua la marionnette. A dix reprises peut-être il fut sur le point de m'adresser la parole. Chaque fois, je remuai le sac. La tête du mousquetaire se dressait méchamment. L'homme ne bronchait pas. Il se mit à fumer un cigare dont il soufflait la fumée sur mon visage. J'allumai moi-même une cigarette et je luttai contre sa fumée. Mais ma petite fumée avait bien du mal à s'imposer face à la sienne.

Le temps ne passait pas. Le train s'arrêta un quart d'heure en rase campagne. Tout m'agaçait. J'avais soif, j'avais froid.

Nous repartîmes enfin. Mon voisin avait allumé un autre cigare. Moi une autre cigarette. Notre combat se poursuivit dans les heurts du train lancé à toute vitesse pour tâcher de rattraper son retard.

X

Isabelle me fit tout de suite mauvaise impression. Elle était si différente de moi : grande, mince, avec de longs cheveux blonds qui tombaient sur ses épaules. Elle me regarda avec la condescendance qu'on a pour un malade. Je n'aimai guère, en outre, sa manière empressée de me tendre la main :

— Marion, dit-elle, je suis contente de vous voir ! Gilbert m'a souvent parlé de vous.

Gilbert hésita une seconde, puis m'embrassa. Je trouvai :

— Le train a du retard. Vous avez dû attendre.

Isabelle répondit en riant, sur un ton dur :

— C'est vrai, nous avons attendu. Et je n'aime pas attendre !

Gilbert prit enfin la parole :

— Nous t'avons réservé une chambre à l'Hôtel du Téléphérique.

— Ah bon, merci, dis-je d'une voix plate.

Gilbert essaya de rire :

— Ça ne t'amuse pas ?

Je fus obligée de rire moi aussi :

— C'est une bonne idée !

— Il n'y a plus de téléphérique depuis longtemps, reprit Gilbert, mais l'hôtel a gardé son nom.

Isabelle avisa la marionnette qui dépassait de mon sac :

— Qu'est-ce que c'est que ça ?

— Un mousquetaire.

Isabelle crut que je me moquais d'elle :

— Pourquoi vous me dites ça ?

— Parce que c'est vrai, c'est un mousquetaire.

J'ajoutai avec plus de douceur :

— C'est une marionnette que j'ai trouvée à *Pierrot mon ami,* un magasin à côté de chez moi. C'est votre cadeau de mariage.

Je sortis le mousquetaire de mon sac et le remis à Gilbert.

— Ce sera joli et amusant, sur un divan par exemple, dit-il en consultant Isabelle.

Celle-ci fut obligée d'acquiescer :

— Oui, très joli.

Une irritation désagréable frémissait en moi, comme les quelques notes d'une rengaine dont on n'arrive pas à se débarrasser. Nous nous dirigeâmes vers l'hôtel. Gilbert et Isabelle marchaient silencieusement. Je ne trouvai rien à dire. Gilbert voulut porter mon sac. Je le lui laissai.

La nuit était douce. Dans la lumière des réverbères, Isabelle était vraiment jolie. Mais sa démarche hautaine et sa foulée très courte indiquaient un caractère froid et autoritaire.

Gilbert avait l'air de sortir de chez le coiffeur : ses

cheveux coupés net lui donnaient un aspect têtu et un peu nigaud qui me chagrinait. Le charme et l'innocence, si chers à mon souvenir, avaient disparu. Je ne retrouvais qu'un grand garçon fade, effarouché par une jeune femme qui allait sans doute faire de lui une marionnette semblable à celle que j'avais été dans les mains de Jean. Cette idée me révoltait. Elle me donna un sentiment de gâchis et d'impuissance. Je décidai de ne pas passer la soirée avec eux.

Isabelle m'interpella. On aurait dit qu'elle avait attendu le moment pour introduire sa phrase :

— Gilbert m'a parlé de ton ascenseur.

Je sursautai. Elle ajouta :

— On peut se dire « tu », non ?

J'en voulus à Gilbert. Cette confidence était une trahison. Je demeurai digne :

— Tu imagines ! Un ascenseur pour me tenir compagnie !

Isabelle ne comprit pas. Elle voulut me faire rectifier :

— Compagnie ! Que veux-tu dire ?

Gilbert répondit pour moi :

— C'est comme si elle avait un mari, tu sais ! Elle le soigne, le caresse, l'aime. Isabelle, tu seras comme ça avec moi, j'espère ? termina-t-il en éclatant d'un rire un peu inquiet.

Isabelle rit aussi, mais de mauvais gré. Je m'y associai, sans joie. Nous étions arrivés à l'Hôtel du Téléphérique.

Je prétextai un mal de tête dû au voyage et leur demandai de m'excuser si je ne participais pas au dîner qu'ils avaient organisé pour enterrer, comme ils disaient,

63

leur vie de fiancés. J'espérai qu'ils me retiendraient. Ils le firent, mollement. Isabelle dit finalement qu'elle me comprenait et que j'avais réellement l'air fatiguée. Gilbert n'osa pas la contredire.

J'étais furieuse d'avoir accepté cette invitation. La perspective de la journée du lendemain assombrissait encore mon humeur. J'aurais voulu dénicher une auberge au confort discret et feutré où j'aurais pu dormir trois jours et trois nuits. A défaut, j'aurais souhaité quitter la ville tout de suite, par le premier train. Je n'en eus pas le courage.

Un homme gras et endormi me tendit la clé sans me regarder. Se résignant enfin à me jeter un coup d'œil, il se leva brusquement. Il voulut m'accompagner jusqu'à ma chambre. Je dis que ce n'était pas la peine. Il me remit la clé en se croyant obligé de retenir ma main dans la sienne. J'étais si distraite que je n'eus pas le réflexe de retirer ma main aussi vite que j'aurais dû.

Ma chambre n'avait rien de très accueillant avec son armoire à glace cassée, son coin toilette à peine abrité par un paravent déchiré et son linoléum. La fenêtre donnait sur une rue très passante. Je m'aperçus bientôt, au bruit qui se propageait de temps en temps contre le mur, que l'ascenseur se trouvait juste à côté. Cette situation m'amusa un peu. Je me sentais mal à l'aise, crasseuse. Je redescendis pour demander à l'homme qui m'avait accueillie si je pouvais prendre une douche. Il accepta avec empressement et me conduisit à la salle de bains. Quand je me trouvai nue sous le jet, je vis soudain quelque chose qui bougeait dans la serrure. Je fus persuadée que l'homme me regardait derrière la porte. Je poussai un cri. La serrure reprit son aspect normal.

Une demi-heure plus tard, je sortis de l'Hôtel du Téléphérique. Je me perdis dans un dédale de rues.

La journée avait été éprouvante. La visite à *Pierrot mon ami,* la rencontre avec son étrange propriétaire, le voyage en train, tout me laissait un sentiment de lassitude et de découragement. J'étais nerveuse, inquiète. Je me sentais prête à faire n'importe quoi, par désœuvrement, par ennui. Quand j'étais dans cet état, je savais que je ne m'appartenais plus. Je pouvais me jeter à la tête du premier venu. J'avais peur d'être seule, face à moi-même, à ma vie, à des souvenirs encombrants. N'importe quoi valait mieux !

Je finis par entrer dans un restaurant. Je m'assis volontairement à côté d'un homme qui était seul. Il se mit tout de suite à me parler et à se lamenter sur la grande solitude qu'était la vie. Il était fraîchement divorcé et insista sur son besoin d'affection. Je fus touchée. Il me posa des questions. Mise en confiance, je lui racontai le motif de mon voyage à Danièlange, ce mariage où je venais à regret, les gens que je devais rencontrer, la famille qu'il me faudrait subir.

— Tss tss... Mauvais, mauvais que tout cela, fit le divorcé en cherchant à venir à bout d'un os de lapin qu'il avait porté à sa bouche.

— Je ne sais vraiment pas pourquoi je suis venue.

— Tss tss ! Mauvais, mauvais que vous ne sachiez pas, fit l'inconnu qui était enfin venu à bout de son os de lapin.

Vous n'êtes pourtant pas une petite fille, vous n'allez tout de même pas me dire que vous êtes aussi innocente que vous le dites !

— Innocente ? dis-je à mon voisin, un peu étonnée de son appréciation, non, je crois que je ne le suis pas.

Je voulus ajouter que je croyais tout de même que je l'étais restée, d'un certain point de vue, mais mon interlocuteur ne m'en laissa pas le temps :

— Vous avez souffert, voilà tout.

Je ne sus que répondre. Le divorcé poursuivit :

— Nous souffrons tous, nous sommes tous très malheureux. Ainsi, moi qui vous parle, j'ai souffert comme une bête.

Je répétai comme si je ne comprenais pas :

— Une bête ?

— Vous connaissez les hommes, hein, lorsqu'une femme les fait souffrir ?

Je demeurai sans voix. Mon silence dut toucher le divorcé. Il tint à m'offrir une liqueur. J'acceptai. J'avalai mon verre d'un trait. Quelques larmes se formèrent dans mes yeux.

— Oh que c'est fort ! m'écriai-je.

— Tss ! Il suffit d'être habitué, c'est comme tout.

— Oui, c'est comme tout.

Le divorcé cherchait une réplique. Il trouva :

— Et si nous allions boire un autre verre de liqueur chez moi ?

Je m'entendis répondre :

— Oui.

Décontenancé par ce « oui » rapide, l'homme hésita :

— Alors, d'accord, on y va ?

— Mais oui, répétai-je avec un peu d'agacement.

Il ne se décidait pas. Il pencha sa tête sur la nappe à petits carreaux où il aligna quelques miettes de pain. Il essaya de trouver une résolution dans l'ultime goutte de son verre de liqueur.

Je me demandai où j'avais déjà entendu la chanson que lançait un poste de radio.

Le restaurant était presque vide. Il ne restait qu'un couple qui chuchotait et une vieille dame d'allure aristo-cratique, un peu inattendue ici, qui astiquait minutieuse-ment son assiette avec un morceau de pain.

Avec le refrain, la chanson venait de se donner une identité. Elle me ramena à une sieste sur la plage avec Jean où cette même chanson m'avait tellement agacée. Je me sentis vide. Je craignis que les larmes de l'alcool ne fussent prolongées par de vraies larmes. J'avais envie de partir de là, d'aller n'importe où, dans la rue, dans un jardin où il y aurait des fleurs, dans une maison où il y aurait un tapis, de la chaleur, de la musique, beaucoup d'autres verres de liqueur.

Mon voisin parlait toujours. Je ne l'entendais plus. Je me réfugiai au fond d'un puits qui ressemblait à celui de mon ascenseur, où il y avait un arôme d'huile légère et la lumière rouge d'un brasero. Puis, comme le nageur qu'un coup de talon fait remonter à la surface, je jaillis au milieu des odeurs de lapin, de vin, de fromage ainsi que dans la fumée de la cigarette que mon voisin venait d'allumer.

— J'avais une femme très tendre, disait-il, très tendre

et très douce, très jolie aussi. Que voulez-vous, les femmes les plus douces et les plus jolies sont aussi les plus extravagantes...

Je m'ennuyais. La vieille dame avait commandé le dessert maison, une immense glace entourée de gélatine tremblante qu'on lui apporta dans une coupe, surmontée d'un drapeau. Je n'en pouvais plus. Je payai et sortis.

Il faisait plus doux dehors qu'à l'intérieur du restaurant. Je n'avais pas fait dix pas que le divorcé était à mes côtés. Il avait un aspect un peu ridicule avec son parapluie qu'il agitait devant lui comme pour se frayer un chemin au milieu d'une forêt de brousse.

— Pourquoi êtes-vous partie si vite ? Nous devions boire un verre quelque part.

— Eh bien, allons-y !

— C'est que, reprit mon divorcé d'une voix embarrassée, ce soir, figurez-vous, oh... c'est vraiment bête, je ne peux pas vous recevoir...

— Allons à mon hôtel.

Nous parcourûmes deux ou trois rues mal éclairées. Des hommes debout devant de petits cafés encore ouverts nous regardèrent passer avec des airs stupéfaits, comme si nous étions pourvus de deux têtes ou tombés d'une autre planète. Au bout d'une rue, l'enseigne de mon hôtel brilla tout à coup :

HOTE

Le « L » final n'était pas éclairé. Ainsi ce lieu se présentait avec l'ambiguïté du mot « hôte », c'est-à-dire celui qui reçoit et celui qui est reçu.

68

L'ambiguïté du mot me suggéra une autre ambiguïté, celle de ma vie, celle de moi-même, de mon caractère, de mes désirs, de ma décision de ce soir, de mes décisions en général.

— Montez, dis-je au divorcé. Mais ne faisons pas de bruit.

Un veilleur de nuit avait remplacé l'homme de l'après-midi. Il me tendit la clé sans lever les yeux du journal qu'il était en train de lire.

Nous prîmes l'ascenseur. Le divorcé crut bon de m'y embrasser. Je me laissai faire.

— Je m'appelle Robert, dit-il, comme nous pénétrions dans la chambre.

Robert se déshabilla méthodiquement, en posant un à un ses vêtements sur une chaise ; puis, comme il me faisait l'amour, je me distrayais à écouter les mots qu'il murmurait : « ma petite femme, mon trésor en sucre, mon doux colibri... » Quand tout fut dit, Robert alluma la lumière, prit une cigarette dans un paquet disposé à l'avance sur la table de nuit, m'en offrit une. Il me fit admirer les dessins que formaient sur son estomac les traces d'une récente opération, émit quelques soupirs, finit par avouer qu'il n'était pas aussi divorcé qu'il l'avait dit, que sa femme pourrait bien rentrer à l'improviste, bref, qu'il valait mieux...

Robert se rhabilla aussi méthodiquement qu'il s'était dévêtu. Pendant qu'il ajustait sa cravate devant l'armoire à glace, il demanda :

— On se revoit ?

— Non.

Il gagna la porte, voulut sans doute se lancer dans un long discours, ne trouva que :

— Tss !

J'eus du mal à m'endormir.

L'ascenseur fonctionnait sans arrêt, comme si l'hôtel se fût incessamment vidé et rempli de milliers de gens. Il remplissait ma chambre d'un bourdonnement désagréable qui secouait les murs et faisait tinter le verre qui était sur la tablette du lavabo. Chaque fois que l'ascenseur s'arrêtait à mon étage, j'entendais des bruits de porte, de pas ; des voix résonnaient dans mes oreilles. A tout moment, je craignais qu'on ne pénétrât dans ma chambre. Je me dressais sur mon lit, prête à crier. Pour conjurer ce danger il suffisait de me lever et de fermer le verrou. Je n'en avais pas le courage. Plus tard, dans un demi-sommeil, je fus réveillée par des bruits plaintifs et saccadés. Je crus que c'était l'ascenseur. Je me rendis compte qu'on faisait l'amour dans la chambre à côté. Je voulus me boucher les oreilles. Je ne bougeai pas. J'évitai de repirer pour mieux entendre. Je guettai avec avidité les soupirs, les petites phrases, j'essayai d'imaginer les gestes...

Je finis par m'endormir, irritée, un peu malheureuse. Quand je me réveillai, la chambre était noire, le silence enfin total. C'est à peine si l'on percevait très loin, au bout de l'hôtel, un ronflement régulier. Je me levai, pieds nus ; je sortis sur le palier et posai mon oreille sur quelques portes. Des gémissements, des râles fugitifs me parvinrent. J'allai me recoucher, apaisée.

Je fus réveillée tout à coup. Le jour passait par la fenêtre. J'avais oublié de fermer les volets.

XI

Ma détestable aventure me laissait un sentiment de
colère. J'abordai la journée avec agressivité. Celle-ci me
donna un brio inhabituel, de l'ardeur, de l'imagination.
On me trouva en forme, jolie, parfaite.

Ma mère, ma sœur Solange, son mari et ses deux petites
filles étaient arrivées le matin. Mes nièces me firent fête.
Ce fut à celle des deux qui se montrerait la plus
véhémente, la plus talentueuse pour intéresser à ses
histoires leur « tante Marion ». Celle-ci les écouta, les
conseilla avec force sourires, force caresses, beaucoup de
tendresse. Ma mère me trouva bonne mine, quoique mal
coiffée et pas très bien habillée. Elle déplora de me voir si
peu. Je promis de venir plus souvent à Clorivière.

A la mairie, à l'église, je fus gaie, puis une très bonne
convive au repas. Je mangeai avec appétit. Je bus beaucoup, je ris : la journée passait.

Je me trouvai assise à côté d'un vieil oncle d'Isabelle qui
était architecte. Il portait un bouc pointu et bien soigné et
il le caressait de temps en temps avec un air espiègle et
câlin. Il me parla pendant tout le repas. Il m'assura que,

s'il avait vingt ans de moins, il m'emmènerait bien à la mairie, lui aussi, avec tout ce qui s'ensuivait. Ce disant, il ne cessait de frôler mon genou sous la table.

— Il paraît, s'écria Solange avec sa fébrilité habituelle, il paraît que ton nouveau studio est tout à fait extraordinaire, qu'il est traversé par un ascenseur?

— Rassure-toi, l'ascenseur ne fonctionne pas, répondis-je aussitôt pour calmer ma sœur.

— Ascenseur ou pas, repartit ma mère, il est bon que tu aies quitté ce... ce Jean, ton ami, cela ne te menait à rien...

J'étais extraordinairement accommodante :

— A rien en effet ; je suis contente de l'avoir quitté.

— Et tu as certainement gagné au change, s'exclama Isabelle, puisque tu as quitté un homme pour un ascenseur !

On trouva le mot d'Isabelle un peu dur. Un silence gêné le suivit.

Raoul, le mari de ma sœur, dénoua la situation. Il prit une intonation grivoise que je ne compris pas :

— Un ascenseur chez soi ! Ça peut toujours servir, hein, même si ça ne marche pas !

— C'est son petit mari ! reprit Isabelle. Gilbert, c'est bien ce que tu as dit hier soir ? Son mari !

Gilbert acquiesça silencieusement.

— Eh bien, marions Marion ! s'écria Raoul en éclatant de rire.

La trouvaille de Raoul fut jugée excellente. On la répéta de tous côtés. Mes petites nièces la reprirent à tue-tête sur l'air des lampions. Solange fut obligée de les gronder. On essaya de parler d'autre chose. En vain. Mon ascenseur demeura l'unique sujet de conversation ae ce repas de noces. Chacun tâcha de raconter une histoire d'ascenseur, depuis les amours fugitives dans les ascenseurs bloqués entre deux étages, jusqu'aux vieilles légendes d'ascenseurs trop chargés dont les courroies craquent et qui tombent avec leurs passagers. Pendant que se développait cette hystérie collective, mon voisin, tout en assurant la progression de sa main sous la table, me confiait tout bas :

— Venez vous promener avec moi, tout à l'heure. Je trouverai aussi à vous raconter des histoires d'ascenseur.

— J'espère, répondis-je avec sévérité, que vos histoires seront plus drôles que les leurs.

Je sentis son bouc me chatouiller le cou. Il s'était penché vers moi et murmurait :

— Je pourrais vous raconter, par exemple, que l'idée de réaliser des ascenseurs n'est pas récente.

— Ah bon ! dis-je, brusquement intéressée, Dieu sait pourquoi.

— Eh bien oui, reprit M. Hugo en s'approchant davantage, on la trouve dans les écrits de l'architecte romain Vitruve avec la mention et la description d'un treuil à bras qui peut être considéré comme l'ancêtre de nos appareils modernes... Vous voyez ! Mais vous vous en fichez, je suppose, et vous préféreriez...

— Voilà encore ce cochon d'Hugo qui fait du plat à Marion, déclara Raoul, la bouche encombrée par une pince de homard.

Je répliquai sans me démonter :

— M. Hugo me parle de choses qui m'intéressent beaucoup.

Puis, m'adressant à lui, doucement, je demandai :

— Continuez, monsieur Hugo, je vous en prie.

Mon voisin hésita une seconde ; avisant mon sourire engageant, il poursuivit, la bouche contre mon oreille, comme s'il me confiait un secret :

— A l'occasion de fouilles archéologiques, la découverte, dans les palais romains, de puits verticaux présentant des pierres en saillie conduit à penser que ces puits devaient constituer des gaines de circulation pour des appareils servant de monte-charge. Vous voulez que je continue ?

Isabelle qui, décidément, ne me pardonnait pas mon cadeau de mariage, s'adressa brusquement à son oncle :

— Tu ne sais pas que Marion a un faible pour les mousquetaires, les beaux mousquetaires avec un sabre et une moustache !

— Les mousquetaires ? s'écria M. Hugo avec surprise.

— Les jolis petits mousquetaires, reprit Isabelle, qui avait trop bu et faisait de grands gestes désordonnés : il ne faudrait pas croire que notre Marion ne s'intéresse qu'aux ascenseurs !

— Mais c'est très bien, reprit M. Hugo tout haut.

Se penchant vers moi de nouveau, il donna l'impression à la tablée entière de me raconter les pires vilenies :

— Eh bien, Marion, puisque vous aimez les mousquetaires, sachez qu'il faut arriver au XVIIe siècle pour trouver l'aïeul de nos ascenseurs actuels dans un dispositif baptisé « chaise volante »...

J'avais envie d'être agréable à mon voisin. Je laissai sa

main se promener un peu trop haut sur ma cuisse. Il chuchota :

— Je suis un vieux goujat ! Donnez-moi une gifle ! Allez-y, là, devant tout le monde ! Que tout le monde sache que je me conduis comme ça avec vous. Allez-y ! Je bus un verre de vin. Je faillis éclater de rire. Je repoussai la main de M. Hugo si mollement qu'elle revint aussitôt.

— Vous êtes bien jolie et si différente de tous ces... de ces noceurs, disait-il. Et j'aime bien votre prénom.

— Marion ! C'est tout à fait banal !

— Comment, banal ! Marion dérive de Marie et a donné « marotte », puis marionnette...

— Marionnette ? dis-je avec émotion.

— Mais oui, répondit M. Hugo, vous êtes l'ancêtre des marionnettes ; mais je gage que vous n'en êtes pas une !

— Qui sait ? répliquai-je mystérieusement.

Je repris aussitôt :

— Et vous, quel est votre prénom ?

— Pierre, voyons, vous ne le saviez pas ?

— Pierre ! Vous vous appelez vraiment Pierre ? répétai-je, étonnée par ce prénom qui semblait ne pas sonner juste.

M. Hugo se fit une grosse voix :

— Oui, mais ne vous trompez pas ! Car je vous préviens, si vous m'appelez Victor, moi je vous appelle Marion Delorme !

— Rassurez-vous Pierre, prononçai-je, surprise de mon audace.

M. Hugo en parut enchanté :

— C'est bien, Marion, vous m'avez appelé par mon prénom.

— Et je ne me suis pas trompée.

— Oh, vous auriez pu utiliser Victor. Victor Hugo, lui aussi, lutinait les jeunes filles.

La charlotte au chocolat était délicieuse. Des odeurs d'alcool et de sucre flottaient. Les conversations dispersées m'entouraient comme une vapeur. Je bus un grand verre de liqueur, dont je versai le restant au fond de mon café, comme le fit M. Hugo. Sa main abandonna ma cuisse un instant. J'avais hâte qu'elle y revînt.

Le sujet de conversation était resté le même, quoique plus flou. L'ambiance était au beau fixe. Chacun promit de venir rendre visite à mon ascenseur. J'assurai, en retour, le meilleur accueil, les meilleurs sandwichs, le meilleur gros rouge.

Le déjeuner terminé, M. Hugo m'entraîna dehors. Il faisait une belle journée de printemps.

Dans le parc de l'auberge, un jardinier était occupé à ratisser une allée. Un détail anodin peut parfois prendre plus d'importance qu'un ensemble d'événements : je crois que j'entendrai toujours le bruit apaisant et régulier de ce râteau.

Mon besoin de simplicité, de limpidité, d'harmonie, je le trouvai ce soir dans la douceur de la température, dans la lumière fragile du soleil finissant, dans le bruit distingué de nos pas sur le gravier. J'avais tellement bu que je me tenais à peine droite et, sans le secours de M. Hugo, je me serais peut-être étalée par terre.

Nous marchâmes lentement. M. Hugo ne parlait plus.

Il serrait mon bras dans le sien, et quand il le pouvait, il essayait de m'embrasser dans le cou ou de me toucher un sein, du bout des doigts. J'esquivais à peine.

Le repas avait duré longtemps. La fin de la journée approchait. De larges bandes rouges marquaient le ciel. Je me tenais plus solidement au bras qui me menait. Je frissonnais. L'effet de l'alcool, les images violentes et colorées, les chimères de l'imagination, tout m'abandonnait. Un grand vide me saisit. Je me sentis soudain seule, menacée : je ne voyais pas comment j'allais continuer à vivre et, si j'en trouvais la force, je n'en apercevais plus la raison. J'éclatai en sanglots. Heureusement, nous nous trouvions à l'écart. M. Hugo m'embrassa doucement sur les lèvres. Cette brise fut salutaire. Il me prit dans ses bras où je ne me sentis pas plus lourde qu'une plume.

M. Hugo n'était pas jeune, sans doute, mais jamais, je crois, je ne vis une telle tendresse dans les yeux d'un homme. Il y scintillait la première étoile qui s'allumait dans le ciel, à moins que ce ne fût une larme.

XII

J'ai souvent pensé que ce séjour à Danièlange avait beaucoup compté dans l'affirmation de mon caractère.

L'expérience de la solitude m'apportait d'utiles enseignements. Elle rendait à ma vie une qualité pendant sept ans altérée par Jean. Quelque chose était survenu depuis notre rupture : le temps m'appartenait.

La solitude pouvait être une force, un bien qui ne déçoit pas, ne trompe pas, n'égare pas, ne laisse rien attendre, ni regretter. Tous les courages y sont possibles.

Je m'habituais à mon studio, au quartier, à la rue.

Les sœurs Pinson me considéraient avec un peu de méfiance, mais comme j'étais correctement vêtue, que je ne faisais pas de scandale et que je comptais parmi mes connaissances un homme aussi distingué que Jean, elles m'acceptaient..

M. Zande excepté, je n'aurais pu dire qui habitait la maison ; si j'avais rencontré un de ses habitants à l'extérieur, je l'aurais regardé en me demandant où j'avais bien vu cette tête-là.

Quelques jours s'écoulèrent. M. Hugo avait promis de m'écrire. J'attendais ses lettres.

Un soir, j'allai dîner chez Jeanne et Samy, les amis de Jean. Ils passèrent leur temps à me plaindre et à vouloir me remonter le moral. J'eus beau leur faire savoir que j'aimais bien ma nouvelle vie, que Jean appartenait à une période révolue, etc., rien n'y fit. Ils plaignirent mon sort pendant toute la soirée, comme s'ils tenaient absolument à me savoir malheureuse. Sans doute y trouvaient-ils une consolation à l'échec de leur propre vie. Je jurai que, plus jamais, je ne leur rendrais visite.

Mme Monchanin, avertie de la géographie particulière de mon studio (je soupçonnais M. Orange d'en avoir fait la révélation), m'accueillait elle aussi avec une prévenance exagérée. Elle avait des expressions si tristes que, pour un peu, c'est moi qui l'aurais secourue. Après s'être alarmée de la détérioration de mon humeur, voilà qu'elle s'inquiétait de me voir solide et alerte. Elle me demanda si j'étais malade, si je ne voulais pas consulter un médecin de ses amis, si je n'avais pas d'ennuis financiers ; elle m'offrit même, en cachette de son mari, un peu d'argent que naturellement je refusai.

Ce n'était pas de solitude que je souffrais, mais de sollicitude ! La découverte de la proximité de ces deux mots me ravissait.

J'ai toujours eu, en effet, du goût pour les mots. J'aimais les prononcer, les aligner, les réunir. Je les écoutais. Certains avaient une histoire qui se confondait avec la mienne. Le mot « Jean », par exemple, avait été longtemps le mot le plus tendre à mes oreilles. Dans les tout débuts de notre relation, emportée par la folie des premiers moments d'espoir, que de fois ne l'avais-je prononcé ! J'aimais sa diphtongue amoureuse « ean » et le « j » qui semblait un souffle venu de l'âme. Ce mot avait perdu son pouvoir. Comme le mot « Clorivière », qui avait bercé mon enfance ; le mot « amour », qui avait enchanté mon adolescence. Ces mots appartenaient désormais à un autre langage, celui des enfants, des fous, des marionnettes... Il ne restait que la multitude des mots quotidiens, ceux qui voulaient dire promenade, travail, douche, sommeil, ceux qui se rapportaient à mes vêtements, à mes objets, à mes livres, tous ces mots frivoles et pourtant essentiels.

Malgré ses syllabes sifflantes et son orthographe compliquée, le mot « ascenseur » faisait exception. Il me suffisait de le dire ou de l'entendre : un trouble m'envahissait. Ce mot représentait l'élément le plus stable de mon univers quotidien. Je crois surtout qu'il évoquait les arcanes d'un monde inconnu où « Fogo » sonnait fièrement avec ses deux syllabes retentissantes. Car Fogo avait cessé, depuis longtemps déjà, d'être associé au souvenir du démon de mes lectures enfantines pour désigner ce héros mystérieux et invisible qui détenait la flamme et la passion dans les entrailles de mon ascenseur.

Le trou creusé dans la cour continuait à exciter mon imagination. J'avais compris qu'il recélait la machinerie de l'ascenseur. Mais une crainte superstitieuse et irrationnelle me retenait de regarder le fond de la fosse ; de la même façon, il m'avait été impossible, au cimetière de Clorivière, de me pencher au-dessus du caveau où l'on venait de déposer le cercueil de mon père, probablement parce que je ne voulais pas voir l'espace qui contiendrait un jour mes restes.

Pour des raisons énigmatiques, Fogo avait complètement disparu depuis mon retour de Danièlange. Je le regrettais. Plus d'une fois, dans mon sommeil, j'eus l'impression que mon ascenseur faisait entendre sa vibration d'autrefois. Je me trompai : le puits était aussi silencieux qu'un tombeau ; même l'odeur que j'avais respirée naguère s'était évanouie.

J'aurais dû être soulagée : mon studio avait retrouvé sa paix ; sa monstruosité cessait d'être redoutable. C'est le contraire qui se produisit. Le silence de mon ascenseur me chagrina comme une absence, un désaveu.

Très souvent, le soir, je m'arrêtais devant *Pierrot mon ami*. A cette heure-là le magasin était fermé. Dans la vitrine, les marionnettes étaient éclairées par la lumière des projecteurs. A force de voir ces poupées me fixer si tranquillement, je finissais par croire que mon regard allait leur donner la vie, qu'elles allaient se mettre à s'agiter, à danser, à sortir de la vitrine, à me rejoindre, à m'escorter chez moi, où elles m'auraient tenu compagnie toute la soirée et toute la nuit.

Je demeurais longtemps immobile dans les paillettes, les costumes brillants et la lumière. Je me décidais à rentrer. Je revoyais avec plaisir Vulcain, mon ascenseur, mon studio. Je me livrai à tous les plaisirs que la solitude autorisait.

L'un de ces plaisirs, le plus innocent sans doute, consistait à parer la cage de l'ascenseur. J'y accrochais des bouts de tissu de toutes les couleurs comme de petits drapeaux. D'autres fois, je glissais entre les barreaux deux ou trois roses que j'avais achetées, puis j'allumais la lanterne vénitienne pour admirer le ruissellement de lumière sur la ferronnerie. Ainsi éclairé, mon ascenseur révélait mon caractère : la futilité et l'humour. Il reflétait aussi mes aspirations : la magie et le spectacle.

Je donnais à ma cage les attributs du deuil. Je la drapais de tout ce que je pouvais trouver de noir dans mes vêtements, un grand châle, une jupe, une chaussure, et même de la lingerie que j'avais achetée à l'époque pour plaire à Jean. L'excitation que me procuraient ces apprêts sauvait mon humeur de ses divagations et m'apportait un réel divertissement.

Je me vêtais d'une robe de cretonne à fleurs que je portais autrefois. Je passais à mon cou un collier de corail, je plaçais à mon poignet le bracelet en ivoire que Jean m'avait offert au tout début de notre liaison. Je décrochais Vulcain, je le prenais dans mes deux mains, je le posais sur le sol. Bien que je n'eusse aucune expérience dans l'art de la manipulation des marionnettes, je passais des moments inexplicables de gaieté et d'ardeur à tâcher de lui donner la vie en agitant la croix où se trouvaient suspendus les ficelles qui commandaient à ses jambes, ses bras, sa tête, ses épaules.

Mon pauvre Vulcain dut subir maints sévices au cours de ces exercices maladroits et acrobatiques ! Mais je faisais de Vulcain un être qui m'appartenait, que je commandais, dont j'étais le démiurge, comme Jean avait été le mien pendant les sept ans de notre vie commune !

N'avais-je pas échappé à Jean ? Pouvais-je échapper à moi-même ? N'étais-je pas dépendante de cette part de ma conscience, ignorée, redoutable, qui m'entraînait dans des vertiges, des chimères, des abîmes ?

Ces colifichets, cette robe, Vulcain lui-même me faisaient horreur tout à coup. J'abandonnais la marionnette. Je me débarrassais du bracelet et du collier. Je me défaisais de la robe et la jetais sur la cage de l'ascenseur où elle restait accrochée. Et dans les plis du tissu recroquevillé, je voyais avec désespoir la dépouille mortelle de la petite Marion d'antan, folle d'innocence et de vitalité.

Une lettre de M. Hugo arriva à propos.

XIII

M. Hugo devait assister à un congrès d'architecture à Tournadre, une bourgade distante d'une centaine de kilomètres.

Il me fit savoir qu'il aimerait profiter de son passage dans cette ville pour me rencontrer. J'acceptai avec joie. La perspective de cette escapade me stimula toute la semaine.

Le dimanche matin, je pris le train pour Tournadre, où M. Hugo m'attendait. Je retrouvai avec plaisir sa grande carcasse un peu voûtée ; son bouc me parut plus pointu et plus fourni que la première fois.

Il me fit monter dans sa voiture. M. Hugo parlait peu. Sa voix était grave. J'y décelai une crispation qui me dérouta. M. Hugo paraissait maladif. Il disait des banalités :

— Nous avons de la chance avec le temps.

J'essayai de l'encourager :

— Je suis contente de vous voir, vous savez ! Vraiment contente !

— C'est gentil de me dire ça, répondit M. Hugo d'une voix plate.

Il m'emmena dans un restaurant où de larges baies s'ouvraient sur un parc verdoyant et magnifique. Les nappes étaient blanches ; les verres et les couverts éclatants ; les gestes du maître d'hôtel discrets et respectueux. Tout cela me gêna. M. Hugo s'en aperçut :

— Pauvre Marion, je crois que vous auriez préféré un petit boui-boui avec des copains de votre âge !

— Les copains de mon âge ne m'intéressent pas et je suis bien dans votre boui-boui.

Heureux de découvrir quelques signes de détente chez moi, il se défit lui-même de sa raideur :

— Eh bien, choisissons, dit-il gaiement.

Une carte me fut présentée. Elle comportait une impressionnante série de plats écrite dans une belle calligraphie à l'anglaise. Les mots étaient grandiloquents et un peu prétentieux. M. Hugo fit un commentaire où je retrouvai son ironie tendre :

— Perles de l'océan, perles de l'océan ! Ils ne peuvent pas appeler ça des huîtres !

Je me dépêchai de parcourir la carte, lisant à peine le nom des plats, me reportant aux prix indiqués. Je choisis les moins élevés pour composer mon repas.

— Quoi, un œuf en gelée et un poulet aux herbes ! Mais vous mangez ça tous les jours ! s'écria M. Hugo. Vous ne voulez pas une petite langouste, une palombe farcie au coulis d'écrevisse, je ne sais pas, moi, mais quelque chose !

— Cela ira très bien, monsieur Hugo.

On nous apporta du vin. M. Hugo en remplit mon verre.

— Au moins, vous aurez bu du bon vin! dit-il avec amertume.

M. Hugo avait commandé pour lui un plat à l'appellation extrêmement prometteuse. Il le commença sans appétit.

Mon regard erra à travers le restaurant. Les tables étaient espacées. Il y avait peu de monde. Je me demandai si on nous avait remarqués.

M. Hugo intercepta mon regard. Il crut devoir l'interpréter :

— Je sais à quoi vous pensez.

— Mais à... à rien... je vous assure.

— Vous pensez qu'on doit me prendre pour votre père.

Je fis mine de me mettre en colère :

— Vous n'avez rien de plus drôle à me dire?

M. Hugo me prit la main. Sa paume était chaude, agitée d'un petit tremblement.

— Vous devez me trouver bien extravagant, me dit-il, mais je vous... enfin Marion... je voulais vous dire, vous êtes une fille formidable, très bien, très jolie...

Je m'écriai :

— Qu'est-ce qui vous prend de me dire tout ça? Qu'est-ce qui vous prend?

— Enfin, Marion, vous me connaissez? Vous savez qui je suis? Je ne pense qu'à une chose : profiter de mes rencontres, de mon argent, pour essayer de débaucher une petite jeune femme. Vous le savez, hein? Vous savez que je ne pense qu'à cela! Et vous êtes venue! Pourquoi?

— Vous voulez que je vous dise pourquoi je suis venue?

— Je parie que vous ne le savez pas vous-même.

— Je suis venue pour votre bouc.

M. Hugo ne put s'empêcher de sourire :

— Vous me désorientez, vous êtes la fille la plus déconcertante que j'aie connue. Buvez encore, reprit-il en remplissant mon verre.

— Vous voulez me saouler ?

— Vous commencez à me connaître ! Je suis un vieux bouc, hein ?

— Eh bien, je bois au bouc du bouc ! fis-je tout à coup, surprise et confuse du jeu de mots qui venait de m'échapper.

J'ajoutai aussitôt sans permettre à M. Hugo de répliquer :

— Il y a longtemps que je n'ai pas été aussi gaie, vous voyez.

— J'avais peur, lorsque vous êtes arrivée...

Le garçon apportait le café. J'attendis qu'il se fût éloigné. Je demandai :

— Emmenez-moi faire une promenade, vous voulez ?

M. Hugo fit un geste. Je terminai :

— Si ça ne vous fait pas peur, naturellement !

Il paya l'addition. Je le pris par le bras et l'entraînai.

M. Hugo conduisait lentement. Il choisit une route tranquille qui longeait une forêt.

— Il faudra un jour que je vienne voir votre ascenseur. Ce doit être une curiosité passionnante pour un architecte.

Sa voix changea :

— Vous me troublez, vraiment vous me troublez, fit-il

en ralentissant et en mettant une main sur mon genou. Ecoutez, je...

— Pierre, dis-je tendrement, en posant ma main sur la sienne.

Il retira sa main et proposa :

— Vous ne voulez pas qu'on s'arrête pour faire quelques pas ?

Le mois d'avril était encore frais, mais un soleil agréable nous accompagna sur un chemin de terre où subsistaient les empreintes des sabots d'un cheval, inscrustées dans la boue. M. Hugo me prit par la taille :

— Marion, je...

Il ne put trouver un mot de plus. Il me lâcha. Nous continuâmes notre marche jusqu'à une petite chapelle.

— C'est une chapelle romane, dit M. Hugo, entrons.

Il me fit admirer les vitraux, le plein cintre, la beauté et la simplicité des lignes, la sveltesse des fûts. M. Hugo avait l'air de tout connaître, de tout aimer, de tout mettre en valeur. Il parlait à petites phrases. Je l'aurais écouté longtemps. Nous quittâmes la chapelle. M. Hugo prit une voix lugubre :

— Marion, j'ai fait une bêtise, une grosse bêtise, vous allez me gronder.

J'attendais avec curiosité la phrase suivante. M. Hugo la prononça d'un trait, sans me regarder :

— J'ai réservé une chambre dans une petite auberge.

— Eh bien allons-y, dis-je gaiement.

— Je ne veux pas, dit M. Hugo.

— Vous ne voulez pas quoi ?

— Y aller.

— Mais moi, je veux !

— Je vais vous dire autre chose, Marion. Il n'y avait pas de congrès à Tournadre. Qui voudrait encore d'un vieux pitre dans mon genre dans un congrès ?

J'éclatai de rire :

— C'est un piège, alors !

— Vous voyez bien.

— J'adore ce genre de piège.

— Pas moi ! Tenez, je vais vous raccompagner à la gare.

— Je veux aller à votre auberge.

— Vous voulez aller où ? demanda M. Hugo d'une voix perdue.

Je pris M. Hugo par le bras et l'entraînai jusqu'à la voiture :

— Vous avez l'air d'un gamin, Pierre !

M. Hugo roulait plus vite que tout à l'heure. Il me regardait de temps en temps avec un sourire inquiet. Je posai ma main sur son poignet tandis qu'il conduisait.

Il s'arrêta devant une petite maison qui avait du lierre sur les murs, des rideaux de couleurs vives aux fenêtres, un toit de tuiles. Cela faisait penser à une maison de poupée. Nous entrâmes. Un homme un peu inquisiteur me toisa. Je lui rendis son regard si hardiment qu'il fut obligé de se détourner.

La chambre était charmante. Elle comportait une armoire et une table de style normand, deux chaises de paille, un sol en tomettes rouges soigneusement astiqué ; des rideaux de cretonne donnaient à l'ensemble une bienveillance aimable.

M. Hugo se tenait debout, si intimidé qu'il n'osait pas me regarder. Je posai mes lèvres sur les siennes.

— Embrassez-moi, lui dis-je.

Il se détourna, posa sa bouche sur ma nuque. Sa voix était essoufflée :

— Marion, Marion...

Je caressai sa joue, tendrement. Je passai mes bras autour de son cou. Je sentis qu'il tremblait :

— Pierre...

Il se dégagea. Il fit un effort pour trouver quelque chose à dire :

— Vous pouvez fumer.

— Je vais me déshabiller.

— Vous déshabiller ? demanda-t-il comme s'il ne savait pas ce que voulait dire ce mot.

Je commençai à me défaire. Il m'arrêta :

— Non !

J'allais passer outre. Il me retint, prononçant d'une voix dure que je ne lui connaissais pas :

— Je ne veux pas !

— Moi je veux...

— C'est comme cela : je ne veux pas, dit-il avec un air si farouche que je n'eus pas le courage de lui désobéir.

— Pierre, qu'est-ce qu'il y a ? Je suis si bien avec vous...

— Il y a que je veux que vous m'obéissiez.

— Mais je ne veux pas vous obéir.

— Vous m'obéirez !

Il continua, radouci :

— Mettez-vous sur le lit, comme ça, comme vous êtes.

tout habillée. Nous allons... nous allons parler, juste parler.

Je me mis sur le lit comme il me l'avait demandé. Il s'étendit à côté de moi.

— Voilà, je vous prends la main, c'est tout, juste la main, et maintenant, écoutez-moi, Marion...

Il y eut un moment de silence. M. Hugo respirait avec difficulté. Il finit par dire :

— Oubliez tout, oubliez cette journée, oubliez que je voulais coucher avec vous.

Je voulus protester. M. Hugo ne m'en laissa pas le temps :

— Je vous aime bien, Marion : je veux être votre ami, rien que votre ami, vous m'entendez ?

Je fis une ultime tentative :

— Moi aussi, je vous aime et...

— Ne dites rien, Marion, rien ! Je vous en supplie !

XIV

M. Hugo m'écrivait régulièrement.

Il avait une écriture qui lui ressemblait, chaleureuse et agitée, cependant très lisible. Ses lettres me réjouissaient. Je les relisais en cachette, comme les lettres d'un amoureux.

La tendresse et la délicatesse de M. Hugo m'avaient touchée. Elle me changeait tellement des hommes que j'avais rencontrés jusqu'ici. Sur le moment, j'avais regretté que notre relation fût restée amicale. Je me demandais si ce n'était pas mieux. Il était doux d'avoir un ami comme M. Hugo. Ma vie en fut modifiée.

Je répondais à ses lettres en commençant toujours par « Cher Victor Hugo ». Je répliquais ingénument aux questions qu'il me posait sans en avoir l'air. Je racontais les menus événements de mes journées : ces lettres avaient fini par devenir une cérémonie qui s'accomplissait le soir, sur mon guéridon, où je restais des heures à noircir des pages, sans avoir le courage ensuite de les relire, sans même me souvenir, lorsque je signais « Marion Delorme », de ce que j'avais écrit. J'étais si contente de mon exploit que j'éprouvais le besoin de poster la lettre immédiatement. Je me rhabillais et descendais la mettre à la boîte au milieu de la nuit.

Jamais printemps ne fut plus réussi que celui de cette année-là.

Quand je m'éveillais, le matin, les bruits de la maison faisaient comme le balancement d'une flottille de voiliers dans un port. Une lumière vive, un ciel pur, le soleil qui inondait ma chambre ajoutaient à l'illusion.

Je me regardais dans la glace. J'y trouvais un autre visage. J'y façonnais, incrédule, un fragile sourire. Je me faisais un maquillage rapide, je mettais un soupçon de noir à mes yeux. Je partais à l'aventure. Je buvais des apéritifs sur le comptoir de cafés animés, en fumant des cigarettes. Je me sentais libre. Je résolus d'acheter une robe. Je m'arrêtai cent fois devant la même vitrine avant de décider que la robe convoitée ne me plaisait pas. Je me rendis dans un grand magasin où je pris l'ascenseur. J'y rencontrai une fille qui paraissait si timide que je lui adressai, pour l'encourager, un sourire qui parut la toucher. Elle me regarda avec reconnaissance, puis disparut comme à regret.

Je quittai l'ascenseur. Aux lettres lumineuses qui s'affichaient devant la porte de la cabine, j'appris qu'on l'appelait LIFT. Ce mot rapide, bruissant, correspondait bien à la fuite des ascenseurs modernes.

Je cherchai parmi les robes exposées celle qui pouvait me convenir. Je la trouvai. Elle était de style indien, assez transparente, avec une échancrure un peu osée sur le côté et un décolleté très ouvert. Je gagnai le salon d'essayage et la vêtis. Elle me plut tout de suite, ainsi qu'à la vendeuse, une femme d'âge mûr et d'allure un peu bourrue qui prononça d'une voix attendrie :

— Comme vous êtes belle !

— Vous trouvez ? dis-je avec coquetterie.

La robe tombait parfaitement.

— Vous êtes si jolie, prononça la vendeuse qui, sous prétexte d'ajuster le tissu, essayait de me frôler les seins.

J'aurais voulu être fâchée. Je dois l'avouer, j'étais troublée. La vendeuse semblait ne pas vouloir quitter la cabine. Elle répétait avec une voix sucrée :

— Vous êtes un amour, comme ça, un amour !

Je décidai de garder la robe sur moi. La vendeuse me fit un paquet de l'ancienne. Quand elle me le remit, son attitude avait changé : je ne la reconnus pas.

Je déjeunai à la cafétéria du magasin. Un jeune étudiant voulut m'inviter chez lui pour me montrer le diplôme qu'il était en train d'écrire. Je l'écoutai distraitement et, naturellement, je refusai son invitation. Mais quand il m'apprit que son diplôme traitait de *Roméo et Juliette* et de la légende de Vérone dont la pièce était inspirée, j'acceptai d'aller chez lui.

Je le suivis dans sa chambre, au septième étage d'une maison bourgeoise.

— Il n'y a pas d'ascenseur, dit-il, j'espère que cela ne t'ennuie pas.

— Non, bien sûr.

Il me posa une question dont, évidemment, il ne pouvait soupçonner l'humour :

— Et chez toi, il y a un ascenseur ?

Je ne pus retenir un petit rire.

La chambre était dans un grand désordre. Je réussis à trouver de la place sur le lit où je m'assis. Pendant qu'il me préparait du café, je me demandais comment j'allais me dépêtrer de cette situation. Pourquoi étais-je venue là ? Etait-ce à cause du souvenir de mon voyage à Vérone avec Jean ? Sans doute. Mais peut-être aussi parce que mon ascenseur me faisait penser au fameux balcon où pouvaient monter, avec les frémissements nocturnes, des mots d'amour.

Mon Roméo, le café bu, tenta de me renverser sur le lit au milieu des journaux et des chemises sales. Les seuls mots qu'il sut trouver, comme j'avais réussi à me glisser hors de sa chambre, ne pêchaient pas par trop de lyrisme : « Pourquoi t'es venue, si tu voulais pas ? ».

J'avais besoin d'un peu de réconfort. Le destin me fut favorable : je trouvai de la place chez le coiffeur. Je m'abandonnai aux mains d'une jeune coiffeuse vêtue d'un jean (je songeai avec amusement que le mot « jean » avait la même orthographe que « Jean »). Cette jeune fille avait également un tee-shirt où était inscrit : « je suis libre » (comme moi, pensai-je !) et son visage avenant se reflétait dans la glace.

La coiffeuse me parla de la boîte où elle allait danser ce soir. Je me laissais imprégner par les odeurs qui remplissaient le salon et m'étourdissaient. Le casque qu'on me mit sur la tête me donna la déroutante illusion que j'étais provisoirement sourde. Cette sensation me rappela le train de nuit, lorsque j'étais toute jeune fille et que, juchée sur la couchette, j'avais l'impression que le bruit des roues sortait directement de mon sommeil. Je retrouvais des odeurs de bière, les jurons des militaires un peu éméchés ; une main tentait de remonter sous ma robe froissée...

Je fermai les yeux. La mollesse de mes pensées, la suavité des parfums, la douceur de la lumière me firent une délicieuse escorte. Je m'endormis. Je me réveillai brusquement avec la sensation d'avoir rêvé, incapable de me souvenir de mon rêve sinon qu'il se rapportait à des choses agréables.

La coiffeuse s'agitait derrière moi comme si elle était déjà en train de danser. Mon casque était enlevé, ma surdité dissipée. J'avais envie d'entendre le son de ma voix :

— Ma coiffure tiendra-t-elle ?

— Je le crois, répondit la coiffeuse, à moins que vous ne fassiez des folies.

— Je me sens d'humeur à en faire !

— Vous reviendrez me voir !

J'étais attendrie par la bonne humeur de la jeune fille. Pour un peu je lui aurais demandé de m'emmener danser avec elle. Je n'osai pas. Je lui montrai une mèche rebelle.

Un peu plus tard, je m'aventurai dans un petit cinéma où j'eus toutes les peines du monde à repousser la main d'un homme qui voulait se poser sur mon genou. Je m'offris une glace à l'entracte et, comme je rentrai chez moi, le beau temps semblait installé pour toujours.

Je ne me rappelais pas avoir passé une journée si remplie. Je me sentais grisée par les événements qui l'avaient composée, par les regards entrevus, les mots entendus, par les mille choses qui s'étaient placées autour de moi.

Tout à coup, comme une balle perdue après la bataille, le regard malheureux de la jeune fille rencontrée dans l'ascenseur me revint et me frappa. J'aurais voulu revoir cette fille, l'aider, l'aimer. Son souvenir me rendait maussade.

Je ne fus calmée que lorsque je pus m'asseoir devant mon guéridon.

Il suffisait d'une page blanche : j'avais envie d'écrire, des mots, même pas des phrases, n'importe quoi. Quand je m'interroge sur cette envie, je ne trouve rien. C'était une envie sans cause, sans objet. Quelques lettres tracées sur la page blanche : je me sentais moins seule. Un réconfort mystérieux mais solide m'envahissait, comme si mon crayon puisait sur le papier l'élixir dont j'avais besoin.

Je racontai ma journée à « Victor Hugo ». Les événements que j'avais vécus, une fois traduits en phrases, en mots, en lettres, me paraissaient plus pittoresques, plus épiques, plus gracieux que dans la vie. Les mots écrits permettaient de modifier, d'enjoliver, de dépasser la réalité ; une autre réalité se substituait à la première.

Dans un moment d'exaltation, j'avouai à « Victor Hugo » que, si j'en avais eu le don, j'aurais voulu être romancière pour raconter des histoires d'amour aussi belles que celle de Roméo et Juliette !

XV

Pas une fois au cours de cette période, Fogo ne se manifesta. La flamme de son brasero ne brillait plus. La fosse demeurait fermée ; mon ascenseur était muet.

Fogo réapparut un soir, dans les circonstances que voici :

Je n'avais pas travaillé ce jour-là. J'avais erré tout l'après-midi à la recherche d'une distraction. Il tombait une petite pluie désagréable qui me rendait nerveuse. J'avais beaucoup fumé. Ma gorge était irritée. Je toussais. Je craignais d'avoir attrapé la grippe. Je rentrai tôt chez moi pour me faire un grog, lire si je pouvais, sinon avaler un somnifère, m'endormir très tôt et tout oublier. Je ne me sentais même pas le courage d'écrire à M. Hugo.

Je n'avais parlé à personne de toute la journée, si ce n'est pour acheter du pain, de la viande, des pommes de terre... Il me fallait rencontrer quelqu'un, n'importe qui, dire n'importe quoi. J'allais me rabattre sur les sœurs Pinson quand je me trouvai devant *Pierrot mon ami*. J'entrai brusquement.

— Vous ! s'exclama Colombine. J'ai cru que vous me boudiez !

— Moi vous bouder ?

— Ou bien que le mousquetaire n'avait pas plu à vos mariés. Je vous vois passer souvent, c'est tout juste si vous regardez mes marionnettes.

— Je les regarde le soir, quand il y a de la lumière. Mais vous fermez si tôt !

Je me tus comme si Colombine m'avait interrompue. Elle restait silencieuse. Son sourire semblait posé sur son visage comme un masque.

Je bafouillai :

— J'aime bien vos marionnettes. Elles sont gaies, amusantes...

Cette fois, Colombine m'interrompit :

— Et Vulcain ?

Je sursautai :

— Lequel ?

— Comment lequel ? Mais celui que je vous ai vendu, parbleu ! Ce n'est pas bien d'oublier mon Vulcain !

— Je ne l'ai pas oublié. Il est chez moi, il trône au meilleur emplacement de mon studio. C'est un bon compagnon.

— A la bonne heure ! s'écria Colombine. J'aime laisser des traces dans l'esprit de mes clients. Je voudrais qu'il subsistât quelque chose de moi dans la chambre de tous les enfants, de toutes les femmes comme vous...

Je ne trouvai rien à répondre. Colombine poursuivit, adoptant une voix si aiguë que je fis mine de m'écarter pour me protéger :

— Et j'espère que vous avez remarqué les attributs...

La voix de Colombine dégringola de trois octaves. Elle reprit avec le roucoulement qui m'avait étonnée la première fois :

— L'enclume, le marteau, les tenailles. Disons le mot : les attributs virils de...

Je voulus aller plus vite que Colombine :

— De Fogo !

Je me sentis rougir jusqu'aux oreilles. Colombine n'y prit pas garde :

— De Fogo ?

Je m'embrouillai dans mon explication :

— Mais de Vulcain... je voulais dire Vulcain. Je ne sais pas ce que j'ai voulu dire. J'ai dit quoi ?

— Fogo. Vous avez dit Fogo, fit Colombine en me fixant avec de petits yeux immobiles et menaçants.

J'avouai tout, ou presque :

— Figurez-vous que j'ai appelé votre marionnette Fogo.

— Que ne le disiez-vous ? C'est parfait, Fogo, parfait pour Vulcain.

— Pourquoi, parfait ?

— Vous savez ce que ça veut dire, Fogo ?

Je me sentais vexée :

— Bien sûr...

Colombine m'expliqua :

— Fogo veut dire feu dans une langue méditerranéenne, je ne sais plus laquelle.

J'étais émue. Cela dut se voir. Colombine s'approcha. Elle posa sa main sur mon épaule :

— Et vous, comment vous appelez-vous ?

— Marion.

Colombine retira sa main :

— Marion ! C'est merveilleux ! J'aurais tellement aimé m'appeler Marion !

Je me souvins de ce que m'avait appris M. Hugo, à propos de mon prénom. Cela me fit plaisir de penser à mon ami. Je prononçai avec émotion :

— Cela irait bien, en effet, avec vos marionnettes, puisque Marion dérive de Marie et a donné marionnette...

— Vous savez cela ! s'écria Colombine.

Elle semblait très agitée et retira d'une étagère, qui supportait quatre ou cinq livres bien alignés, un petit opuscule. Elle le feuilleta jusqu'à une page qu'elle me fit lire :

« On trouve le mot *marionnette* pour la première fois aux environs de 1600 dans un ouvrage de Guillaume Bouchet, mais son origine précise est contestée. Charles Mangin, grand spécialiste des marionnettes, aimerait faire remonter ce terme à Marion, héroïne d'un jeu rustique du XIIIe siècle, ainsi qu'aux figurines articulées qui représentaient la Vierge Marie dans les crèches de Noël. »

Colombine ne me perdait pas de vue. Quand j'eus fini de lire, elle eut un éclat de triomphe :

— Cela ne vous enchante-t-il pas ?

Je répondis d'un air ravi :

— Etre l'héroïne d'un jeu rustique, cela me convient tout à fait !

J'étais stupéfaite par la logique qui régissait mon prénom. Cette filiation de Marie à Marion et de Marion à marionnette s'imposait comme une évidence ! « Marion » m'avait façonnée ! N'étais-je pas située en effet entre une certaine virginité, une certaine innocence, et la docilité extrême de ces personnages inconsistants, sans caractère et frivoles que sont les marionnettes ?

Je quittai Colombine et *Pierrot mon ami*. J'étais joyeuse malgré la pluie qui n'avait pas cessé. Mon mal de gorge s'était envolé. Ma journée était sauvée. Je chantai, à mi-voix, lentement d'abord, puis plus vite « Marie, Marion, marionnette, Marie, Marion... » Je trouvai un rythme, une mélodie. Je dansais en marchant. Plusieurs personnes se retournèrent sur moi. Que m'importaient leurs regards ! Ces trois mots agissaient à la façon d'une formule incanta-toire, ils étaient capables d'opérer un charme, un sortilège.

J'aperçus Fogo !

Il allait devant moi, à pas acrobatiques, à cause d'un escabeau qu'il portait sur l'épaule et du seau de peinture qu'il avait à la main. Cette démarche difficile, réduisant ses mouvements, lui donnait une claudication pareille à celle du Vulcain de la mythologie. Cette claudication avait un aspect si sensuel qu'elle me troubla profondément.

Fogo traversa la rue. Je traversai la rue derrière lui et le suivis. Je tournai après lui dans une rue perpendiculaire ; je le vis disparaître dans une maison devant laquelle je m'arrêtai, indécise, me demandant si j'allais entrer moi-même. J'attendis jusqu'à la tombée de la nuit. De guerre lasse, trempée de pluie, je finis par rentrer chez moi.

J'aurais trente ans dans quelques jours. Ce passage d'une décennie de mon existence à une autre m'était toujours apparue comme une échéance difficile.

Depuis ce soir-là, j'attendais cette date sans inquiétude.

XVI

Le prénom de Marie me touchait. J'avais pour cela une raison précise. Une de mes tantes l'avait porté.

Si je ressemblais peu à ma mère, en revanche, j'avais toujours eu l'impression d'avoir hérité de Marie l'originalité et l'imprévisibilité de mon caractère.

Je n'avais pas douze ans quand disparut Marie, dans des circonstances mystérieuses dont on parla ensuite à mots couverts.

Du temps qu'elle vivait encore, on ne la recevait pas volontiers. Je crois qu'on l'éloignait de moi davantage que de ma sœur Solange, car celle-ci avait adopté à son égard l'attitude distante de toute la famille.

Je me souviens, en particulier, d'un aveu que nous fit un jour Marie. J'avais sans doute écouté avec l'air apitoyé et incrédule que m'avaient appris les adultes. Néanmoins, j'avais été secrètement émue lorsque Marie avait raconté que souvent, chez elle, elle organisait des soupers fins et intimes, prévoyant deux couverts à sa table, deux verres, deux serviettes, et un cadeau dissimulé sous chacune d'elles ; elle entamait avec son invité imaginaire le plus joyeux et le plus mouvementé des dialogues.

J'aimais Marie. Elle seule aurait pu partager et comprendre les événements qui composaient ma vie présente. Elle seule aurait approuvé la manière dont j'avais décidé de fêter mes trente ans et su se réjouir de ce qui allait en résulter.

La date de mes trente ans arriva, et avec elle la journée la plus extraordinaire de ma vie.

En hommage à Marie, j'avais résolu de « pendre la crémaillère » toute seule.

A l'origine, on suspendait réellement une crémaillère à la cheminée du logis qu'on allait habiter. A défaut de cheminée, mon ascenseur pouvait jouer ce rôle. Celui-ci fut déterminant.

Pour dire la vérité, je m'attendais presque au coup de théâtre qui allait se produire. C'est de ce jour, peut-être, qu'est née en moi une conviction : un monde secret me parvenait, me prévenait mystérieusement. Car enfin ! Comment expliquer tant d'empressement pour préparer un dîner solitaire ?

Je courus les magasins avec fébrilité, comme si j'avais vingt invités exigeants à traiter. Quand je revins, les bras chargés, le jour tombait déjà. A ma grande surprise, la fosse était ouverte dans la cour. L'odeur que je n'avais pas sentie depuis longtemps flottait comme un parfum et se répandait même dans l'escalier. J'étais si émue que j'eus du mal à trouver la clé au fond de mon sac. Je la retirai enfin. J'entrai.

J'étais en sueur. Je me deshabillai rapidement et je pris une douche. J'aurais pu vivre toute mon existence ainsi caressée par la tiédeur bruissante, familière et indiscrète de l'eau. J'avais acheté un savon parfumé dont je m'enduisis le corps. Je me sentais protégée par le cocon de vapeur que l'eau tissait autour de moi. J'aurais aimé que ce moment n'eût pas de fin. Mais l'eau devint froide : j'avais épuisé toute l'eau chaude que contenait mon ballon. Je me séchai, me parfumai de lavande, je réparai les quelques dégâts que l'eau avait causés à mes cheveux. Je me maquillai sommairement.

Je détestais d'ordinaire, dans la rue, dans un café, un magasin, rencontrer le reflet de mon visage dans une vitre. Jamais je n'eus autant de plaisir que ce soir-là à me regarder dans la glace. Je passai en revue mes épaules, mes seins, mon ventre, mes cuisses : mon corps semblait enveloppé d'une lumière qui le parait et donnait à mes cheveux des ombres et des reflets. Je découvrais une autre moi-même, plus belle, plus majestueuse, plus voluptueuse.

C'est ainsi que tout a commencé. Par un sentiment de bien-être que je n'avais jamais connu. J'étais débarrassée de mes mauvais souvenirs, j'étais sans ombre, sans passé, traversée par un courant d'une qualité exceptionnelle.

Je sortis de l'armoire la robe indienne récemment achetée et j'en vêtis mon corps nu. La robe s'ouvrait très haut sur ma cuisse et son décolleté était si profond que je pouvais voir mes seins en baissant les yeux. J'étais troublée comme une comédienne qui va se montrer pour la première fois en public.

Les pulsations de mes tempes, les coups que mon cœur battait dans ma poitrine, le plaisir nouveau que me donnait le moindre de mes gestes, tout m'avertissait d'un changement prochain, rapide, décisif. Comment ce changement pouvait-il survenir dans la solitude de mon studio et dans l'isolement que j'avais choisi pour passer d'une décennie de ma vie à l'autre ? Cela ne me préoccupait guère. J'étais sûre, comme autrefois mon père avec ses tables tournantes, que quelque chose d'extraordinaire allait se produire.

Onze heures sonnèrent à un clocher lointain.

J'étalai sur des tranches de pain rôties, ici des œufs de saumon, là de petites lames de foie gras. J'y ajoutai des pointes d'asperge, du thon, du fromage. Je surmontai le tout d'olives, d'oignons, je piquai une câpre, un minuscule cornichon. Je disposai ces préparations sur des soucoupes que je portai sur le guéridon.

Mon dîner était fait de deux cailles que j'avais saupoudrées de raisins de Corinthe, ainsi que d'une marmite de pommes de terre nouvelles qui rissolaient gaiement sur le feu. Je débouchai la bouteille de vin de Bordeaux choisie en raison de son appellation : *Château de Mille Secousses.* Ce nom m'avait amusée. Il s'accordait si bien aux frémissements de mon ascenseur !

Tout était prêt. La fête pouvait commencer. Je surveillai mes cailles et saisis l'un de mes petits toasts. Je pensai à Marie. J'avais envie de parler, de chanter, de danser. Je posai un disque sur mon électrophone. Je n'eus pas le temps de le brancher.

La cage de l'ascenseur trembla d'une manière que je ne connaissais pas. Un bourdonnement plus fort que tous ceux que j'avais entendus se mit à retentir. La cage vibra comme si elle allait éclater, faisant s'agiter Vulcain ainsi que la lanterne vénitienne que Gilbert avait pourtant solidement fixée au grillage. Le puits devint phosphorescent. Un glissement rauque brisa le silence.

Mon volcan se réveillait !

Lentement, d'une marche régulière, sans heurts, dans une odeur d'huile fraîche qui se mêla à l'arôme de mon pain grillé, l'ascenseur apparut, s'élevant avec majesté. Il passa, s'éleva, emportant un homme qui me regardait. Je découvris alors l'exceptionnelle anatomie de mon ascenseur. Au lieu d'être hissé par un câble comme c'était le cas des ascenseurs courants, « mon » ascenseur était poussé en dessous par un cylindre qui se développait.

Fascinée par le spectacle de cette extraordinaire érection, je demeurai immobile contre la grille.

L'ascenseur redescendit. Il s'immobilisa au milieu de mon studio.

A l'intérieur se trouvait Fogo !

XVII

Mon premier réflexe fut de me demander : « Comment me voit-il ? »

J'avais passé en revue toutes les hypothèses. J'avais observé la cage de l'ascenseur de toutes les façons, sous tous les éclairages. Jamais je n'avais pensé à cette chose simple : comment pouvait-on voir mon studio depuis l'intérieur de l'ascenseur ?

Je ne parvenais pas à bouger. Le silence se prolongeait.

Une chose me surprit : je ne ressentis pas la moindre gêne. J'étais seulement embarrassée par le toast que j'avais à la main. Le manger, le remettre sur la soucoupe paraissait également impossible. Ce toast dénoua la situation. Je glissai mon pouce et mon index à travers la grille et tendis le petit sandwich à mon visiteur.

Il le prit, le mangea :

— Très bon, dit-il.

— Un autre ?

— Oui.

J'allai chercher un autre toast. La lumière et le contre-jour rendaient sans doute ma robe transparente. Fogo sentait-il ma nudité dessous ? Je rapportai le nouveau toast et le donnai de la même manière que le premier. Il le mangea. Je voulais entendre encore le son de sa voix :

— Etait-il aussi bon que le premier ?

— Oui.

J'interrogeai de nouveau :

— Vous voulez boire ?

Son rire éclata, innocent, abandonné. J'y répondis par le même rire. Je ne me souviens pas, de toute ma vie, d'une telle explosion de confiance.

La voix de mon visiteur se fit une place au milieu de ce rire :

— Il faudrait un chalumeau pour boire à travers cette grille !

Je venais de trouver une solution :

— Eh bien, mais...

Mon rire s'arrêta net :

— Entrez !

— Chez vous ?

— Oui.

Il eut l'air déséquilibré. Il dit :

— Attendez-moi.

On a compris que la cage de l'ascenseur ne s'ouvrait pas sur mon studio puisque celui-ci se trouvait entre deux étages, le deuxième et le troisième. Pour sortir de l'ascenseur, il fallait donc obligatoirement monter d'un demi-étage ou descendre d'un demi-étage : je vis se déployer de nouveau le cylindre qui soulevait l'ascenseur. J'entendis le déclic de la porte palière au demi-étage supérieur.

J'allai ouvrir la porte de l'escalier. Fogo était devant

moi. Il me tendait les mains. Je les pris dans les miennes et les serrai, sans réfléchir. Lorsque je me rendis compte de mon audace, il était trop tard.

Je me dégageai et trouvai la bouteille de Mille Secousses, et deux verres. Je les remplis. Je lui en tendis un :

— Nous allons trinquer.

Il arrêta mon geste.

— Vous savez comment trinquent les vrais amis ?

Il passa son bras sous mon bras. Celui-ci se trouva emboîté dans le sien. Nous nous étions rapprochés par ce double mouvement. Mon visage n'était séparé de Fogo que par l'épaisseur des verres. Le vin était agité par le mouvement que nous venions de faire. Nous bûmes ainsi, tout proches.

— Maintenant nous n'avons plus rien à nous cacher, dit Fogo.

— Je ne veux rien vous cacher.

— Voyons cela, dit-il.

Il regarda autour de lui, s'approcha du guéridon :

— Tu attendais quelqu'un ?

Je bredouillai quelque chose. Il récidiva :

— Tu attendais bien quelqu'un, non, avec tout ça ? Et cette robe qui...

— Quelle robe ?

Son élocution s'embarrassa :

— Tu vois bien ce que je veux dire...

Je minaudai un peu :

— Elle te plaît, ma robe ?

Il chercha une réponse. Je guettai son trouble. Je demandai avec espièglerie :

117

— Elle ne te plaît pas, alors ?

Ce fut à son tour de me troubler :

— Tu l'as mise pour qui ?

— Mais... je ne sais pas...

J'entendis une voix lointaine, la mienne, qui disait :

— Pour toi.

— Et si je n'étais pas venu ?

Je ne sus que répondre. Il murmura :

— Le plaisir solitaire est un péché, tu sais !

— Ce n'est plus un péché puisque tu es là.

— C'est incroyable, vraiment incroyable ! dit Fogo en tournant autour de la pièce.

Il conclut bruyamment :

— C'est le destin !

Jamais ce mot n'eut plus de sens pour moi. Mon invité changea de ton :

— Tu as bien arrangé ton studio.

— Tu trouves ?

— Ce tapis rouge, formidable !

Je tendis une soucoupe de sandwichs. Il refusa :

— Et cette lampe, dit-il, qu'est-ce que c'est ?

— C'est une lanterne vénitienne.

— Tu as des amis qui t'ont rapporté ça de Venise ?

Je répondis bêtement :

— Peut-être...

— Et ça ? s'exclama-t-il, découvrant la marionnette.

— C'est Vulcain !

— Vulcain ?

— Le dieu du feu, des forgerons, des volcans.

— Il y a un dieu des volcans, dit-il.

— Oui, toi !

— Moi ?

— Tu devrais être flatté.

— Et le volcan, c'est quoi ?

— C'est ça, dis-je en montrant la cage de l'ascenseur.

— Ça, un volcan ?

— La cheminée du volcan !

— La cheminée...

— Oui.

Son rire éclata de nouveau. Je ne pus faire autre chose que de rire aussi. Il fut le premier à reprendre son souffle :

— Tu as raison, c'est un volcan. On le croyait mort. Aujourd'hui, il entre en éruption.

— Tu vois !

— Et où tu l'as trouvé ce... ce Vulcain ?

— A *Pierrot mon ami,* le magasin de marionnettes, dans la rue, tout près.

— Il ne faudrait pas croire que je suis une marionnette, hein !

— C'est toi et ce n'est pas toi.

Il haussa le ton :

— On ne me mène pas avec des ficelles ! On ne m'accroche pas n'importe où ! Je suis un loup.

— Un loup ?

— On ne m'apprivoise pas.

— J'espère pour toi !

— Tu sais, reprit-il, je te voyais passer souvent, dans la cour, quand je travaillais dans mon trou.

— Et moi je t'entendais au fond de la cheminée.

— Dix fois, cent fois, j'ai voulu te parler. Tu avais l'air si lointaine, si fière : tu m'agaçais !

— Moi aussi, tu m'agaçais. Pas un regard. C'était comme si je n'existais pas.

— On aurait pu vivre cent ans sans se parler, dit-il.

— Mais il y avait l'ascenseur, tu es là, on se parle.

— L'ascenseur ? C'est vrai. J'ai commencé à le réparer quand je t'ai vue.

— Tu mens ! Tu le réparais déjà quand je suis arrivée ici.

— Non.

— Comment, non ? Je t'ai vu !

— Je rangeai seulement mes outils dans ce trou. Jamais, avant, je n'avais entendu parler de la machinerie d'un ascenseur.

— Pourquoi tu l'as réparé ?

— Pour te voir.

Je n'eus pas le temps de répliquer. Une odeur de brûlé s'éleva avec de grandes flammes. Mes cailles étaient en train de brûler. Il courut éteindre le gaz.

— Tes petites bestioles vont être trop cuites. Tu vas manger quoi ?

— Et toi ?

— Je n'ai pas faim.

— Moi non plus.

Il demanda brusquement :

— Toi comment, au fait ?

— Marion.

— Marion ! répéta-t-il, comme en admiration.

— Ça te va ?

120

— Et François, ça te va ?

— François, répétai-je, un peu déroutée.

Je fis un aveu :

— Tu sais que je t'appelais Fogo ?

— Fogo ?

— Devant la fosse de l'ascenseur avec la lumière rouge du brasero, en bas, tu ressemblais à Fogo, le personnage d'un livre.

— Quel livre ?

— Un livre que je lisais quand j'étais toute petite.

— Qu'est-ce qu'il y avait dans ton livre ?

— Un homme tout rouge au fond d'un volcan, qui disait : « Qui est près de moi est près du feu. »

François eut un regard enflammé, comme l'homme de mon souvenir.

— Cet homme avait raison, dit-il.

Je pris une résolution :

— Je t'appellerai Fogo.

— Si tu veux.

— Tu allumes les volcans comme Fogo. Tu es Fogo. Je suis près de toi, je suis...

Les yeux de François brillèrent intensément. Il me prit dans ses bras très doucement, me caressa les cheveux. Je murmurai, du bout de la voix :

— Je suis près du feu.

Il m'embrassa. J'eus le temps d'entendre la cloche lointaine. Minuit sonnait. J'avais trente ans.

XVIII

Jamais je n'avais imaginé que cela pouvait être aussi merveilleux, aussi miraculeux, aussi inexplicable de faire l'amour. J'étais comme un enfant qui découvre la lumière, la musique, un sourire.

Nous avancions comme deux danseurs attentifs aux faux pas de l'autre, nos corps n'obéissaient à rien : ils étaient emportés, ils se soulevaient et roulaient l'un sur l'autre, l'un dans l'autre, et nos gestes n'étaient plus que brouillons. J'étais au bord de l'évanouissement : mon cœur allait cesser de battre, mon sang de circuler, ma poitrine de respirer. Je me disais : cela ne peut pas durer, cela va s'arrêter, quelque chose va se passer. Je suffoquais, j'étais asphyxiée, je ne mourais point. Les heurts que François imprimait à mon corps ranimaient et prolongeaient mon souffle défaillant. J'entendais un hurlement proche. Etait-ce le vent ? l'ascenseur ? la tempête ? Etait-ce les mots que je prononçais ? Je ne pouvais les retenir, ils se multipliaient dans un tumulte d'exclamations téméraires, exigeantes.

Parfois, pour peu de secondes, je profitais d'une

accalmie. J'observais le visage de François. J'étais au milieu d'un calme extrême, sur une crête fragile et immobile où j'aurais voulu demeurer. François allait au-devant de moi. Le combat reprenait. Je me sentais engloutie : ma respiration n'en finissait pas de rechercher l'oxygène, comme un poisson hors de l'eau. Une boule de feu tournait dans mon ventre et me consumait. Des couleurs dont je ne pouvais dire le nom, des couleurs qui ne ressemblaient à aucune de celles que j'avais jamais vues, éclataient dans mon cerveau, elles se répercutaient dans mes oreilles, se confondant avec mes cris qui s'éparpillaient sans ordre, remplissant l'octave.

Les choses étaient sereines, à leur place. La lanterne vénitienne irradiait l'espace. Sa lumière tendre enfiévrait le visage de François, faisait briller la sueur qu'il avait sur son corps, semblait attiser les petites blessures que ses dents, ses ongles, la pression de sa peau avaient dispersées sur mon corps, où sa sueur se mêlait à la mienne.

Mes lèvres buvaient ses lèvres, mes jambes s'enroulaient à lui. Je n'acceptais pas de me détacher de ce passé sauvage et plein de fureur; je n'avais qu'une hâte, prolonger, perpétuer ces excès. Je ne me lassais pas d'avoir mes mains dans ses cheveux, sur ses joues, ses épaules, son cou, sa poitrine. Je caressais sa langue de ma langue. Il me serrait. Je l'embrassais encore, il me serrait plus fort. Je l'embrassais plus fort; nous perdions l'équilibre. Son corps cherchait le mien.

J'étais transfigurée par le bonheur. Il était le centre du monde, il formait un mot magique et inégalable. Je ne savais plus où j'étais entraînée. Comment savoir ? Le plaisir me portait si haut que ma tête me paraissait à dix mille lieues de mon corps.

François reposait, inerte. Ses yeux étaient fermés. Jetée sur lui, je recueillais son souffle comme celui d'un nouveau-né.

J'aurais voulu inventer un langage. Je me sentais impuissante. Je ne trouvais qu'un mot : « Je t'aime ! ». Je répétais ce mot à l'infini, à la bouche de François, au creux de sa nuque, au duvet de son sexe. Je le disais à ses cheveux, à la courbure de son dos, à ses yeux, à ses oreilles. Le visage de François était grave, il était noble dans la pénombre. Je m'enivrais de cette gravité, de cette noblesse, de cette pénombre...

Je posais une question. J'aurais voulu qu'il y eût répondu avant de l'avoir prononcée : « Tu m'aimes ? »

« Je t'aime », murmurait François. Ses mots n'étaient plus des mots, ils étaient la tendresse, la plus bouleversante des tendresses, cette tendresse se glissait jusqu'au cœur de mon cœur !

D'autres mots venaient, malgré moi, portés par mon souffle : « Je n'ai jamais été comme ça, si heureuse, merveilleusement heureuse, folle, tu m'as emportée, est-ce que c'est mal, est-ce que c'est bien, est-ce que c'est toi, est-ce que c'est moi, dis-moi encore que tu m'aimes... »

Le bonheur me rendait audacieuse, inventive, irrévérencieuse : une flamme m'apportait le génie. Je connus toutes les hardiesses, les caresses les plus osées. Je les reçus, je les donnai. Mes gestes et mes désirs étaient comme la lumière. J'embrassais la poitrine de François, son ventre, sa cuisse, le pli de son aine, son sexe... François, François ! J'aurais pu te livrer le plus intime de mes secrets. J'aurais pu me montrer à toi dans la plus totale impudeur. J'aurais pu... Je pouvais tout. Une électricité brûlante embrasait mes lèvres et ma langue. Tu frémissais sous mes baisers, agité par les tremblements du plaisir. Chacun de ces tremblements me comblait de bonheur ; je le guettais, le retenais, le provoquais, le dessinais avec une patience, une science où s'exprimait toute mon âme. J'aspirais les effluves du bonheur que je te donnais, dans lequel je m'anéantissais.

Jamais je ne me sentis plus femme...

Mon essoufflement ne cessait point. C'est moi, moi la silencieuse, moi la timide Marion qui me mis à parler, à ajouter des phrases les unes aux autres, prolongeant l'amour avec des mots : « Qui es-tu ? Ne réponds pas. Je t'attendais ce soir. Tu ne me crois pas ? Tu penses que je suis folle ? Jamais je n'ai été moins folle. C'est la nuit. Tu entends la nuit ? Tu la sens ? Elle est autour de nous, elle est bonne... elle est chaude, douce... Tu es comme la nuit, tu me traverses, tu vis en moi... » François répondait : « Je suis heureux !... » Je n'avais pas besoin d'autres mots.

Nous demeurions étendus, l'un contre l'autre. François avait ma main dans la sienne. Je demandai :

— Tu ne m'as pas répondu tout à l'heure : pourquoi as-tu réparé l'ascenseur ?

— Je ne pouvais pas faire autrement.

— Pourquoi, pas autrement ?

— Parce que j'ai besoin de ce qui est difficile.

— Mais ce n'était pas difficile de me rencontrer.

— Je ne t'aurais pas rencontrée sans cet ascenseur.

Je ne répliquai point. François reprenait :

— Moi aussi, l'ascenseur me rappelle une histoire que j'ai entendue quand j'étais gosse. Cette histoire m'a toujours travaillé. Je me suis dit que la femme que j'aimerais, si j'en aimais une, ce serait pareil.

— Il y avait un ascenseur dans ton histoire ?

— Ça se passait à une époque où ça n'existait pas, les ascenseurs. Aujourd'hui, j'ai l'impression d'être dans le souvenir de mon enfance.

— Qu'est-ce qu'il y avait dans ton souvenir ?

— Ce n'est pas avec un ascenseur mais avec une échelle que l'homme allait rejoindre la femme qu'il aimait.

— Je connais cette histoire.

— Est-ce que ce n'est pas notre histoire aussi ?

— Oui, c'est notre histoire.

— Tu comprends pourquoi j'ai réparé l'ascenseur ?

Je n'avais pas le temps de répondre. François se précipitait sur moi. Il me serrait si fort que des remous m'entouraient. Une tempête nous emportait.

Nous basculions sur le tapis. Il m'entraîna en roulant jusqu'à l'ascenseur. Il me souleva, me tint solidement, durement, contre la grille. Il me fit l'amour debout, mes jambes enroulées autour de lui, contre la monture froide qui meurtrissait mes épaules, mes hanches, mes cuisses.

A bout de force nous perdîmes l'équilibre et tombâmes sur le tapis. C'est là, près de l'ascenseur, que nous fûmes réveillés par le petit jour.

XIX

Je n'étais pas en état d'aller travailler. J'avais besoin de revivre ce qui était survenu, qui demeurait.

Rien n'aurait pu m'arracher à ce lieu. François m'avait quittée. Il était présent partout. Il était dans l'air que je respirais, dans l'eau que je buvais, dans le lit, sur le tapis, sur la grille de l'ascenseur, sur les murs, sur le plafond. J'ouvris la fenêtre. Le mûrier que le vent agitait semblait prolonger ses mouvements ; le murmure des branches ressuscitait sa respiration et ses soupirs.

Toute la matinée, je demeurai sur mon lit. Celui-ci m'emportait comme une barque auquel un fort rameur aurait imprimé un élan suffisant. J'y recomposai les heurts et les rythmes de la nuit. Je fermais les yeux. Je dérivais. J'étais émerveillée ; une mélodie naissait en moi, à mon insu, qui me berçait...

Je n'avais rien demandé à François : ni où il habitait, ni ce qu'il faisait pendant la journée, pas davantage quand il reviendrait. J'étais confiante.

Je ne bougeai pas, je ne mangeai rien, incapable de lâcher une maille du tissu heureux qui me rattachait à la nuit.

La journée passait. Ce fut l'après-midi.

On frappa à ma porte. J'allais ouvrir. C'était Mme Monchanin. Elle me parut un peu ridicule avec son tailleur d'un autre âge et sa contenance de femme bien soignée.

— Eh bien, Marion !

— Entrez, madame Monchanin, dis-je sur un ton supérieur dont, heureusement, elle ne s'aperçut point.

— C'est donc ça, votre fameux ascenseur ? fit-elle en entrant.

— Oui, madame Monchanin, voilà mon secret.

— Ce n'est pas si mal ! Et pour le loyer que vous devez payer... Combien m'avez-vous dit ?

— Et il fonctionne, madame Monchanin !

— Qu'est-ce qui fonctionne ?

— L'ascenseur !

Je prononçai ce mot avec un ravissement qui aurait dû surprendre Mme Monchanin. Pouvait-elle deviner quelque chose ? Que lui importait que mon ascenseur fonctionnât ou pas ? Ce qui l'intéressait, en revanche, c'était le désordre répandu ici et ma tenue négligée :

— Votre lit n'est même pas fait ! A quatre heures de l'après-midi !

— Excusez-moi, madame Monchanin.

— Vous avez reçu des invités ?

— Oui.

— Je comprends... Vous vous êtes couchée tard et vous êtes fatiguée, c'est ça ? Vous voulez que je vous aide à mettre un peu d'ordre ?

— Merci, madame Monchanin, ne vous dérangez pas.

Elle n'insista pas, mais ajouta :

— Voilà, ma petite Marion, je vais vous laisser maintenant. Je voulais savoir. Je vous croyais malade. Je constate avec plaisir qu'il n'en est rien. Jamais je ne vous ai vu aussi bonne mine !

— Vous trouvez ?

— J'ai l'impression que vous avez... que vous avez changé... C'est tout juste si je vous ai reconnue quand vous m'avez ouvert la porte.

— Vous pensez vraiment que j'ai changé ?

— Ecoutez, reprit Mme Monchanin d'une voix doucereuse, je dirai à M. Monchanin que vous avez été souffrante, une petite indisposition... entre femmes, hein, ce serait dommage que nous ne nous soutenions pas !

— Comme vous êtes gentille, madame Monchanin !

Le ton de Mme Monchanin se fit plus aigu. On aurait dit un moineau qui se mettait à pépier.

— Bien entendu, je ne dirai rien, puisque je vous le promets. Mais à vous je peux dire quelque chose, vous savez que cela restera entre nous : vous devriez changer votre façon de vivre. Enfin quoi ! Vous gagnez tout de même bien votre vie, non ? Surtout pour un travail à mitemps, M. Monchanin vous paie plus qu'aucun dentiste ne paie son assistante. Nous ne pouvons pas être plus gentils avec vous. Une femme comme vous, intelligente, sensée... Vous devriez vous en sortir !

— Je m'en sors, madame Monchanin.

— On ne le dirait pas, mais enfin... Comprenez-moi ; ce que je vous dis, bien sûr, c'est pour votre bien, il faut me pardonner si je vous parle si franchement ; je voudrais attirer votre attention sur votre... heu... sur votre vie, sur vous... Vous voyez bien ce que je veux dire ?

— Pas du tout, madame Monchanin.

— Enfin, Marion ! Vous êtes encore jeune ! Une belle fille comme vous ! Vous n'avez jamais eu envie de... de vous... de vous marier ?... d'avoir des enfants ?... je ne sais pas...

Mme Monchanin attendait une réplique qui ne vint pas. Elle leva les bras un peu désemparée. Je pris enfin la parole :

— Vous avez été amoureuse, madame Monchanin ?

Elle balbutia, plus troublée que fâchée par ma question, me sembla-t-il.

— Amoureuse ? Mais... je suis amoureuse de M. Monchanin.

— Je sais, madame Monchanin. Mais je veux dire, amoureuse, vraiment amoureuse...

Elle répondit sèchement :

— Ça ne vous regarde pas !

Elle regretta cette phrase et ajouta :

— Et vous, Marion, vous êtes amoureuse ?

— Oui.

— Mais c'est bien, Marion ! Il fallait me le dire ! C'est très bien ! Très, très bien ! Je suis contente pour vous. Je m'inquiétais un peu et...

— Vous n'avez pas à vous inquiéter...

— Voilà enfin une bonne nouvelle. Je comprends tout, allez, dit-elle en jetant à mon studio un regard circulaire qui s'attarda sur le lit.

Elle ajouta à mi-voix comme si elle tenait à partager un secret :

— Si une femme ne vous comprenait pas !

Elle fut déroutée par mon air ironique, qu'elle perçut sans doute pour la première fois. Elle ajouta brusquement* :

— Car je vous comprends ! Vous n'en doutez pas, j'espère.

— Mais oui, madame Monchanin.

Rassurée, elle changea de ton :

— C'est bien d'être amoureux, c'est bien. Mais tout dépend de qui, naturellement, et de quelle manière... car il y a la vie...

— Ne craignez rien, madame Monchanin, je viendrai travailler demain.

Elle rougit un peu. Elle balbutia :

— Voyons, Marion, ce n'est pas ce que je voulais dire. Je sais très bien que vous viendrez travailler demain, je sais très bien que vous êtes une fille sérieuse et courageuse. Mais je parlais plutôt de... de...

— Ne vous en faites pas pour moi.

— Alors je m'en vais. Je suis contente de vous avoir vue comme ça. Allez, reposez-vous, passez une bonne nuit et à demain, fit-elle en ouvrant la porte.

Elle reprit :

— Et rangez votre studio car on ne vit pas bien dans le désordre.

— Je rangerai.

Mme Monchanin demeurait immobile devant la porte, comme si elle avait besoin d'un dernier geste d'affection.

— Alors au revoir, au revoir, Marion, dit-elle en m'embrassant brusquement.

— Au revoir, madame Monchanin.

Elle ne bougeait pas. J'attendais avec un peu d'impatience. Enfin, son visage s'éclaira d'un sourire :

— Et surtout, dit-elle, n'oubliez pas de nous inviter à votre... à votre mariage, hein !

— Je n'oublierai pas.

Avant de partir définitivement, Mme Monchanin ajouta :

— Nous vous ferons un beau cadeau, vous savez !

XX

Je passai le reste de l'après-midi sur mon lit.

La visite de Mme Monchanin me faisait l'effet d'un intermède bouffon, comme on en rencontre parfois au milieu de représentations à caractère grave.

Vers dix-neuf heures, une sorte de brouhaha se déclara dans la cour. Je me levai et jetai un coup d'œil à la fenêtre. Un attroupement s'était produit autour de la fosse. Celle-ci était béante. Je remarquai dans le groupe plusieurs locataires de la maison, ainsi que M. Zande, l'ingénieur qui m'avait un jour parlé. Les sœurs Pinson, présentes elles aussi, s'agitaient au milieu de tout ce monde.

Je m'habillai à la diable et me précipitai dans la cour. Je me frayai un passage jusqu'à la fosse. Telle était ma folie que j'imaginais y découvrir le corps de François déchiqueté. Mon cœur battait à grands coups. Mes jambes étaient si molles que je me voyais déjà basculant vivante dans le caveau ouvert. Je me penchai. La fosse ne recélait que le moteur de l'ascenseur. Je poussai une exclamation de joie. On crut que je tombai au fond de la trappe : on se précipita pour me retenir.

L'une des sœurs Pinson me prit la main. Elle eut un ton doux, presque maternel :

— Voyons, mademoiselle Marion, voyons ! Cet ascenseur ne doit pas vous faire peur, remettez-vous !

L'autre sœur ajouta, faisant un effort pour adopter le même ton :

— Rassurez-vous, il ne marchera pas facilement. C'est un vieux mécanisme...

La fosse exhalait une odeur d'huile agréable et discrète comme un parfum de bonne qualité. Cette odeur était semblable à celle qui avait annoncé François la veille. Tout redevint motif de joie et de gaieté. Les propos et les gestes des gens assemblés autour de moi me firent l'effet d'un amusement préparé pour mon plaisir.

Cependant il était clair que mon arrivée avait modifié le cours des conversations. On connaissait la configuration de mon studio. On avait appris que l'ascenseur allait peut-être marcher. Chacun voulut commenter l'événement, me donner des conseils.

L'autorité de M. Zande vint à bout du petit chahut qui s'organisait :

— Un ascenseur ne fonctionne pas si aisément. Le moteur n'est pas tout. L'infrastructure y joue un rôle important, les glissières, le vérin, le parachute...

— Parachute, vous avez dit parachute ? demanda une vieille dame que ce mot sembla électriser.

— Oui, madame. Qu'y a-t-il de surprenant ?

— Mon fils est dans les parachutistes, vous comprenez...

L'ingénieur eut un petit rire. Je ne pus m'empêcher de

sourire moi-même. Il répondit à la mère du parachutiste, mais c'est moi qu'il cherchait à convaincre :

— Oui, madame, parachute, comme pour les avions. Mais il s'agit d'un dispositif destiné à parer la chute de l'ascenseur en cas de rupture de câbles.

— Une rupture de câbles ? Cela peut arriver ! fit avec effroi une autre locataire. J'habite le sixième, vous imaginez !

— Cela est très rare, reprit l'ingénieur, cela n'arrive pour ainsi dire jamais. Et puis, soyez rassurée : ici, il n'y a pas à craindre une rupture de câbles, mais plutôt un tassement des vérins puisque nous avons affaire à un ascenseur télescopique.

Je me sentais si gaie que je m'attendais presque à ce qu'une autre femme du groupe s'écriât : « Télescopique, oh ! j'ai un fils qui travaille dans l'astronomie ! ».

Une des sœurs Pinson précisa :

— L'ascenseur est poussé d'en bas par une sorte de tuyau qui...

L'ingénieur l'interrompit :

— Il s'agit, en effet, de vérins emboîtés les uns dans les autres et qui se développent comme les branches d'un télescope. Nous sommes en présence d'une installation hydro-électrique, comme on en faisait beaucoup à l'époque.

Ainsi, la réparation avait été menée à bien en dépit des propos sceptiques et pessimistes que M. Zande m'avait tenus, lors de notre première rencontre. J'adressai à l'ingénieur un regard triomphant. Encouragé par ma bonne humeur, il m'enveloppa d'un sourire un peu trop caressant. Je n'en fus pas étonnée. Je me sentais de force, ce soir, à séduire tout l'univers !

La locataire du sixième écourta notre manège. Sa voix monta à l'assaut :

— Mais enfin ! Va-t-il fonctionner, ou non, cet ascenseur ?

L'ingénieur m'abandonna à regret :

— Je vais vous décevoir, madame, mais je vous déconseille de la façon la plus formelle d'utiliser cet ascenseur.

— Vous entendez, mademoiselle Marion, reprit une des jumelles, vous entendez ce que dit monsieur Zande : vous ne serez pas incommodée. Personne ne prendra cet ascenseur pour le moment.

— En effet, dit l'ingénieur, ce vieil ascenseur n'a jamais fonctionné et n'offre pas, actuellement, des garanties de sécurité suffisantes. Il faut procéder à des contrôles, à des vérifications. Un court-circuit peut se produire, par exemple à l'occasion d'un orage ; il suffirait que l'on commette l'erreur de ne pas décharger les condensateurs, ou que la mise à la terre ne soit pas bien faite pour que le disjoncteur ne fonctionne pas.

— Et cela durera longtemps, ces contrôles, ces vérifications, et tout ça ? demanda la mère du parachutiste.

L'ingénieur répondit avec autorité :

— Je puis intervenir. Il faut faire procéder à de nouveaux aménagements. S'entendre avec le réparateur, ce...

— François, dit l'une des sœurs.

M. Zande avait parlé d'orage : ce nom tomba sur moi

comme la foudre ! Allais-je être secouée par le plaisir, ici, devant tout le monde ? Ce fut tout juste.

— François ? répétait l'ingénieur.

— Tout le monde l'appelle François, précisa l'autre sœur. Du diable si je me souviens de son nom de famille...

— C'est un homme parfait, déclara la première sœur, discret, sachant tout faire, infatigable.

L'ingénieur demandait :

— Où peut-on le voir, ce fameux François ?

L'idée que ces deux hommes allaient se rencontrer m'était odieuse. Mais enfin, je ne pouvais faire autre chose : je laissai la conversation se poursuivre. L'une des jumelles soupirait :

— On ne sait pas. Il va et vient, il rentre, il sort. Il a un caractère spécial, ne parlant presque pas, plutôt sauvage.

L'autre jumelle poursuivait :

— Il suffit de l'appeler, il ne vient pas.

— Ma parole ! C'est le chien de Jean de Nivelle ! s'écria l'ingénieur.

— Plutôt un loup, dit l'une des sœurs.

— Grand et beau, en plus, ajouta la locataire du sixième étage. Tout à fait mon genre...

— Enfin, beau, grand, sauvage, loup, comme il vous plaira..., reprit l'ingénieur un peu excédé, ce qu'il a fait pourrait avoir de graves conséquences. Imaginez qu'il y ait un accident. C'est vous qui êtes responsables, chères demoiselles Pinson !

— Responsables, responsables !... bégayèrent-elles en

chœur. Personne ne lui a demandé de réparer cet ascenseur. C'était sa fantaisie, son caprice ! On ne pouvait tout de même pas l'en empêcher.

— Vous êtes responsables tant que la commission de contrôle n'a pas donné son accord, conclut l'ingénieur.

— Je voudrais bien voir ça, responsables ! fit une des vieilles dames en tapant du pied avec fureur.

— Vous savez ce que j'en pense, de votre commission de contrôle ? répliqua l'autre sœur, avec la même vigueur.

— Calmez-vous, nous n'en sommes pas là, dit l'ingénieur.

Il se tourna vers moi, de nouveau :

— C'est donc cette charmante jeune femme qui...

— La cage de l'ascenseur traverse son appartement, dit la locataire du sixième. Moi je préfère monter mes six étages à pied, et pourtant je suis cardiaque et le moindre effort me...

— Il faudrait que je voie votre studio, me dit l'ingénieur. Un examen est nécessaire et...

Je refusai poliment, prétextant le désordre. J'ajoutai à la stupéfaction de tous :

— Cela ne me dérange pas que l'ascenseur marche, pas du tout. Je mettrai des tentures, des paravents, n'importe quoi.

Je fis mine de quitter le groupe :

— Dans ce cas... dit sèchement l'ingénieur.

J'allais remonter chez moi. L'ingénieur m'arrêta encore :

— Permettez à un homme qui a beaucoup d'estime pour vous de vous mettre en garde : n'utilisez pas l'ascenseur pour le moment. Ce serait malheureux qu'il arrive quelque chose à une jolie fille comme vous !

XXI

Je regagnai mon studio. J'oubliai cet entretien. Je ne pensai qu'à François. Il ne m'avait pas dit s'il reviendrait. J'étais calme : j'avais confiance. Je rangeai ma chambre. Je fis réchauffer le dîner de la veille et j'essayai de manger. Je n'avais pas d'appétit. Je m'étendis sur le lit. La nuit était venue. L'air du printemps était si doux que je gardai la fenêtre ouverte. Chaque fois qu'on traversait la cour je me disais : « Est-ce son pas ? »

La cage de l'ascenseur restait silencieuse. Pas d'autre tressaillement que celui de mon cœur, de mes tempes, de mes artères. Une voix d'homme s'éleva non loin. Etait-ce sa voix ? A qui aurait-il parlé ?

La nuit était tombée. Le temps passait. Les signaux sonores se firent plus rares, plus espacés. Un cri d'enfant, l'écho d'une dispute, une femme qui chantait, un bébé qui criait, bientôt le silence. La maison sombrait dans la nuit et le sommeil, comme un vaisseau sous-marin dans les profondeurs de l'océan. Je notais des murmures, le craquement d'un mur ou d'une armoire travaillée par la sécheresse, un ronflement, le roucoulement d'un pigeon endormi. Je me souvins que, toute petite, comme j'étais seule dans mon lit, ma mère étant sortie, je demeurais éveillée à l'affût du moindre bruit qui eût annoncé son retour. Je finissais par m'endormir. J'étais réveillée en sursaut, au milieu de la nuit, par des sons minuscules, comme de lointains et infimes *clap clap* ; je me levais, et, me dirigeant vers l'origine de ce signal, j'étais guidée jusqu'au bocal où nageait un poisson rouge.

Un pas se mit à retentir dans la cour. Mon cœur sauta. Une de mes jambes eut un tremblement que je ne pus retenir. C'était François ! Comme son pas était lent ! J'aurais attendu plus de fougue, plus d'enthousiasme pour venir jusqu'à moi. Sans doute était-il fatigué, ou bien voulait-il arriver en secret... Je suivis ce pas aux vibrations qui se propageaient sur la grille de l'ascenseur. Je me précipitai sur la porte où je me cognai. François montait. Il n'était encore qu'au premier étage. Il attaquait les marches du second. Comme elle était longue à franchir la distance qui séparait le premier étage du deuxième ! Et pourquoi étaient-elles si nombreuses les marches qui se plaçaient entre les deux étages ! Les pas se rapprochaient mollement. François était-il malade ? M'en voulait-il ? Ne m'aimait-il plus ? Le désespoir m'étreignit, étouffant, épais, comme une fumée. Les pas frôlèrent ma porte, se poursuivirent. Ce n'était pas François ! Ce pas ne lui appartenait point !

Je respirai.

Le temps passait. Pour occuper mon attente, je pris un

livre. Dès que je l'eus ouvert, je le rejetai avec fureur, comme si le livre avait été la cause du retard de François. J'entendis sonner la cloche lointaine. J'aurais voulu retenir chaque coup pour me donner l'illusion qu'il n'était pas si tard, huit heures, neuf heures... Je dus me rendre à l'évidence : la cloche sonnait onze heures. Alors je me dis : « Si un autre coup s'ajoutait à ceux-là, tout à l'heure, et si François n'était pas arrivé, je ne survivrais pas. » J'essayai de me raisonner, je parlai tout haut : « François, je sais que tu m'aimes, je sais que tu vas venir, tu n'es pas loin maintenant, tu viens, je le sens, j'entends ton pas, ta voix, le souffle de ta respiration, tu viens, mon amour, tu viens ! » Je me tus, persuadée que j'avais entendu glisser la porte cochère. J'allais dans une seconde percevoir sa démarche vigoureuse sur les pavés de la cour. Je m'étais trompée : il n'y avait rien que le vide de la nuit et le silence désespéré de la maison qui dormait.

La colère remplaça la confiance. Je me mis à insulter François : « Pourquoi m'as-tu laissée, pourquoi m'as-tu trahie ? Pourquoi abandonner Marion ? Elle t'aurait tellement, tellement aimé ! Jamais aucun amour de femme n'aurait égalé cet amour-là ! Lâche ! As-tu peur de mon amour ? Comme je te déteste ! Comme je te hais ! » Des sanglots douloureux, sans larmes, secouèrent mon corps. J'eus une nausée si subite que je me précipitai aux toilettes où je demeurai, haletante.

Mes sanglots et ma nausée se calmèrent. Je regagnai mon lit. François était près de moi ; je sentais palpiter son corps sur le mien. Ses mains étaient sur mes seins, ses lèvres me brûlaient. Sans doute étais-je en train de délirer : si ses lèvres avaient été sur les miennes, si sa voix avait prononcé à l'instant : « je t'aime », alors j'en suis sûre, mon cœur se serait arrêté de battre !

Mon délire m'abandonna. Je ne bougeais pas. Je ne respirais plus. Je fermais les yeux pour mieux écouter. Bientôt je ne pus supporter de rester inactive. Je décidai de partir à la rencontre de François. Je me levai. Je ne parvenais pas à me tenir debout. Je rampai sur le tapis, centimètre par centimètre. Je me traînai jusqu'à la cage de l'ascenseur. Je m'y agrippai, je m'y frottai les seins, le ventre, la bouche. Je me tordais contre le métal, indécente, obscène...

Combien de temps suis-je restée dans cette position ? Je ne sais... L'ascenseur se mit à frémir, à vibrer. Sa voix grave se leva, se mêlant à mes cris. Alors le plaisir glissa autour de mon ventre. Il s'y tint comme quelque chose de lourd, de rond ; et puis il se mit à éclater en chocs désordonnés, précipités, qui se recouvraient les uns les autres, me retenant à la ferronnerie comme si un courant électrique m'y avait aimantée.

L'ascenseur s'arrêta. François apparut dans une auréole de lumière :

— Salut, Marion ! dit-il.

Je ne parvins pas à répondre.

XXII

Ce fut une période de paradis. Dans mes rêves les plus fous, je n'avais pas imaginé que d'aussi délicates, d'aussi pures émotions étaient possibles. J'étais dans un monde de délices, de parfums, d'harmonie. Les choses les plus humbles me touchaient comme des miracles.

Je voyais François partout, je l'entendais sans cesse. Il me tenait lieu d'ombre, de lumière, de voix, de vue, de cœur. Il était dans mes pensées, il était mes pensées ; il était ce qui était superficiel en moi et ce qui était profond, ce qui était caché et ce qui était montré. C'est trop peu dire qu'il vivait en moi, il était mon souffle.

Les mots que je disais, ceux que je ne disais pas, tous ces mots lui étaient adressés, ils étaient destinés à le chercher, à l'aimer, à le glorifier. Ces mots n'avaient d'autre origine et d'autre but que lui.

L'émerveillement de mes journées, la violence de nos nuits, ce chant, ce mouvement, ce balancement, l'amour, faire l'amour, encore, encore ! toujours, toujours ! la cloche lointaine qui sonnait les heures, la lanterne vénitienne qui tenait les choses dans une pénombre frémissante, le calme de la maison où s'inscrivaient nos excès, les chocs sonores que le plaisir tirait de nous, cette vie secrète et intense était à nous, elle nous appartenait, nous appartient pour toujours.

Ma santé était superbe. Un sang plus vif, plus chaud circulait dans mes veines. Quelque chose avait transformé mon corps. Je me sentais plus grande, plus ample. Le bonheur me donnait des lenteurs de gestes. Ma voix était devenue grave. La banalité, l'injustice avaient fui. Où étaient les Marion d'antan, têtues, agitées, mécaniques ?

Naguère, je considérais l'amour avec dédain. Aujourd'hui il était une chose grave et importante. Je retrouvais des émotions d'enfant. Mon adolescence à Clorivière me paraissait proche. Mille choses que je croyais mortes ressuscitaient. Je revoyais la forêt où j'allais souvent seule, habitée par je ne sais quel désir vague qu'attisait la vibration particulière faite du chant des oiseaux, du pullulement des insectes, du soleil dans les branches. Je me souvenais du premier regard d'homme : celui d'un bûcheron qui m'avait suivie. Je crois que je pourrais décrire encore la forme de sa moustache. J'apercevais ma première robe de jeune fille : je ressentais le plaisir nouveau du tissu léger sur mes hanches, sur mes jambes. Une image plus précise revenait : il faisait chaud, la rivière coulait à mes pieds. Je jetais un coup d'œil à droite, à gauche : personne. Je déposais mes vêtements sur la berge et me mettais nue dans l'eau qui montait jusqu'à ma taille. La fraîcheur indiscrète et malicieuse du courant glissait entre mes cuisses. Je poussais de petits cris de plaisir et d'effroi.

Quelque chose me surprenait : Gilbert ne reparaissait pas dans mes souvenirs. Je ne parvenais pas à retrouver son visage, sa voix, son allure. Je me demandais s'il avait existé.

A ma grande surprise, tout à coup, se formèrent intacts, préservés, ces vers de Louise Labé que je récitais alors :

> *Ainsi mêlant nos baisers tant heureux,*
> *Jouissons-nous l'un de l'autre à notre aise.*

Ou encore :

> *Je vis, je meurs ; je me brûle et me noie ;*
> *J'ai chaud extrême en endurant froidure.*

Ces vers me parlaient un langage proche ! Je les laissais chanter comme autrefois. Je songeais à Louise Labé comme à une sœur amoureuse et complice...

Mon travail chez Monchanin avait cessé de me rendre irascible et maussade. Les humeurs du dentiste et les prévenances de sa femme ne pesaient pas plus qu'un duvet.

M. Monchanin lui-même, surpris par le changement qui s'était fait en moi et par la gentillesse que je mettais à le seconder, me regardait avec un œil nouveau. Il me donnait ses instructions avec douceur et avait abandonné ses lapidaires « mademoiselle » pour se décider à m'appeler « Marion ».

L'humeur de Mme Monchanin, en revanche, se fit

désagréable. Elle, qui d'habitude quittait le cabinet vers dix-sept heures, restait maintenant jusqu'à sa fermeture, malgré l'insistance de M. Monchanin à précipiter les choses :

— Chérie, tu ne vas pas à ton bridge chez les Ferté-Allais ? Tiens, tu devrais aller voir si le manteau que tu voulais t'acheter est toujours disponible...

Un soir, comme Mme Monchanin avait fini par optempérer aux injonctions de son mari, celui-ci, à l'heure de la fermeture, au lieu de quitter le cabinet en me laissant le soin de tout ranger et de fermer, s'attarda de façon inhabituelle :

— Je vais vous aider, Marion.

Je répondis que tout allait bien et que je pouvais faire tout moi-même. M. Monchanin demeurait. Il demanda :

— C'est vrai, Marion, ce que m'a dit ma femme ?

— Qu'est-ce qu'elle vous a dit, monsieur Monchanin ?

— Eh bien, que vous alliez vous marier !

— Je n'ai jamais dit cela ! Vous me voyez mariée ?

— Je ne sais pas, Marion. Comment dire... il y a quelque chose en vous depuis plusieurs jours, je n'arrive pas à savoir quoi, mais quelque chose de... d'étrange, de grave, de... je ne sais pas...

Je répliquai posément :

— Mais je suis normale, monsieur Monchanin.

— Normale ? Enfin, Marion, je voulais dire, je... je vous trouve bien jolie, très jolie en ce moment, et vous vous doutez que je ne dis pas cela facilement.

— Je vous remercie, monsieur Monchanin.

— Je suis heureux, heureux et fier d'avoir une aussi

jolie assistante. Pour ma clientèle, vous comprenez, cela me pose. Justement, je voudrais pouvoir vous témoigner mon... ma reconnaissance. Car je vous aime bien, vous savez, malgré mes airs bourrus !

Je finis de ranger les instruments, les dossiers, divers objets. M. Monchanin poursuivit :

— Au fait, je vous avais promis quelque chose, et quand je fais une promesse, je la tiens. Je vous avais annoncé une augmentation, hein ! Eh bien, justement, je suis décidé à vous la donner, mais surtout n'en parlez pas à ma femme !

— Je vous promets, monsieur Monchanin.

— Au fait, cela fait combien de temps que nous travaillons ensemble ?

— Sept ans, un peu plus de sept ans, même.

— Comment faites-vous pour vous en souvenir aussi exactement ? Moi j'en aurais été incapable.

— J'ai des repères.

— Vous êtes une fille organisée, Marion. Vous êtes une fille très bien, vraiment bien. Figurez-vous que... écoutez-moi...

J'avais fini les rangements. Je quittai le cabinet avant M. Monchanin, pour la première fois peut-être depuis sept ans.

XXIII

Chaque soir l'ascenseur bourdonnait, comme un signal qui m'avertissait du bonheur.

François aurait pu me rejoindre par l'escalier. Cette arrivée par l'ascenseur était inutile. Mais elle était devenue un rite. Il ne pouvait en être autrement. L'ascenseur appartenait à François : c'était sa propriété, notre intimité, notre royaume. Je n'aurais pas supporté que quelqu'un d'autre l'utilisât. Personne ne l'utilisait. Un panneau était apposé. Les avertissements des sœurs Pinson avaient été communiqués à tous les locataires.

J'attendais dans l'ombre. La lumière montait. L'ascenseur s'arrêtait au milieu de mon studio. Je m'approchais. Nos doigts se rencontraient à travers les barreaux. Nous nous embrassions à travers la grille. Nos lèvres ne pouvaient pas se toucher : nous communiquions par notre souffle. Mon corps frémissait d'impatience. Nous faisions durer cette attente. C'était exaspérant, merveilleux. Nous nous murmurions des mots, séparés par la grille qui faisait de chacun de nous le prisonnier de l'autre. Et puis

François manœuvrait l'ascenseur jusqu'au demi-étage supérieur. Parfois je retardais de quelques secondes encore le moment d'ouvrir ma porte. Je savourais cette certitude : dans une seconde, la porte et le paradis allaient s'ouvrir...

Nous arrachions nos vêtements. Ma bouche s'ouvrait dans sa bouche, des éclairs éclataient dans ma tête. Nous progressions lentement, je ne sais comment, jusqu'au lit où nous basculions, éperdus. D'autres fois, incapables de franchir les quelques mètres qui séparaient la porte du lit, nous perdions l'équilibre et roulions sur le tapis.

Nous oubliions l'ascenseur et ses dangers. Nous ne sentions pas passer les heures. Nous restions des nuits entières, entraînés dans notre ferveur, ne pensant ni à manger, ni à dormir : nous n'avions d'autre occupation que de faire l'amour.

La nuit s'écoulait. François finissait par s'endormir. Sa poitrine soulevée prolongeait les mouvements de l'amour. Ses yeux palpitaient dans la pénombre, ses lèvres tremblaient, son souffle m'apportait un murmure : j'étais jalouse de ses rêves.

Je m'endormais à mon tour...

Son corps qui cherchait mon corps me réveillait. Je passais sans transition du sommeil au plaisir, des rêves au rêve. Nos ardeurs renaissaient, nous nous serrions comme si c'était la première, la dernière fois.

J'aurais accepté avec joie que la vie s'arrêtât maintenant, plutôt que de sentir ce bonheur s'effriter.

Il ne s'effritait pas. J'étais aimée ! J'étais aimée !

Un jour François me dit :

— Tu ne connais rien de moi, de ma vie, Marion !

— Tu m'aimes : c'est comme si je connaissais tout.

— Avant je n'avais ni foi, ni loi, ni feu, ni lieu : j'étais un loup, je n'avais que mes dents. Tu m'as apprivoisé.

Je me récriai :

— Mais je ne veux pas t'apprivoiser, François !

— Je ne sais plus où j'en suis, Marion. Avant, tout était ceci ou cela. Il y avait mon travail, il n'y avait pas autre chose dans ma vie. Les choses étaient ici, comme ça, pas autrement. Maintenant tout se mélange, je deviens toqué, je ne sais pas où j'ai mis mes jambes, ma tête, mes bras...

— Ils sont là tes bras, disais-je en m'enfermant en eux.

Jamais François n'avait été aussi bavard :

— Sais-tu que chaque minute, chaque seconde je pense à toi. Il me semble que c'est toi qui fais agir mes jambes, mes mains, mes yeux, mon esprit.

Je répétais éperdument :

— J'aime tes jambes, tes mains, tes yeux, ton esprit.

— Toi aussi est-ce que tu perds la tête, toi aussi est-ce que tu ne sais plus quelle chose est quelle chose ?

— Moi je suis le contraire : tout est clair en moi, dans mes gestes, dans ma vie. Avant, oui, j'étais folle ; maintenant tout est rangé, tout brille, tout est beau.

— Ça oui, tout est beau ! Mais tout ce beau me donne des paresses, des idées, des envies de toi, toujours des envies de toi. Je ne croyais pas que cela pouvait arriver, ce machin, l'amour. Ça me faisait tellement peur, avant.

— Moi, avant, je n'étais rien. Je ne pouvais pas avoir

peur. Comment pouvais-je vivre, pourquoi ? Je vivais : je savais que tu arriverais.

— Moi je ne savais pas. Les loups ne pensent pas au bonheur. Est-ce qu'on peut être un loup et être heureux ?

— Je veux que tu restes un loup et que tu sois heureux. Ton amour est sauvage : je veux qu'il reste sauvage. S'il a des dents de loup, je veux qu'il garde ses dents.

— Je ne sais plus ce que je suis, je suis fou, fou de toi, ton corps me tourne le corps !

Je répétais après François :

— Toi aussi, ton corps me tourne le corps.

François poursuivait :

— J'aime quand je vais en toi, quand tu viens à moi. Je ne savais pas que c'était comme ça, l'amour. Parfois, je voudrais mourir...

— Oh, François, moi aussi je voudrais mourir. Tu me fais venir la mort...

Nos mots et nos phrases, bientôt nos soupirs se conjuguaient et se superposaient, se chevauchaient, se perdaient et se rattrapaient. C'était comme si nous chantions à deux voix : la voix grave de François s'élevait solitaire, rejointe par la mienne ; toutes deux formaient un chœur d'où se détachait mon chant en solo, auquel venait s'unir la note grave, point d'orgue, de François. Quand nous parvenions au sommet de notre duo, les murs croulaient, le plafond basculait par la fenêtre, le soleil de ma lanterne vénitienne m'apparaissait en bas et le tapis en haut, les grilles de l'ascenseur ondoyaient, comme répercutées sur des glaces déformantes, le volcan, tous les volcans du monde s'embrasaient en même temps et projetaient dans mes veines une lave éblouissante et sublime.

Notre respiration conservait longtemps la trace de ces fureurs. J'attendais que François eût dit le premier mot. C'était toujours le même, un mot seulement : « Marion ». J'écoutais mon prénom et ne le reconnaissais pas. Je prononçais le sien, « François », et j'avais l'impression de l'avoir toujours eu en moi. François me serrait les poignets. Je glissais mes lèvres sur son cou : « Marion, François ». Nous nous disions les choses les plus intimes, les plus tendres, les plus passionnées à l'aide d'un seul mot, d'un seul mot chacun : « Marion, François ». Nos prénoms étaient devenus des prénoms de légende depuis qu'ils étaient associés. Ils construisaient la plus belle histoire d'amour que l'univers avait connu. La seule pensée qui se formait dans mon esprit était : « Marion et François, François et Marion ; lui, moi ! moi, lui ! toi, moi. » Je n'avais pas besoin d'autre chose. Ces mots me suffisaient comme « Roméo et Juliette » devait suffire à Juliette, comme « Roméo et Juliette » devait suffire à Roméo.

XXIV

La probable remise en marche de l'ascenseur m'apportait une certaine popularité. Je devins amie avec la dame qui avait un fils dans l'aviation, à cause de l'estime qu'elle avait pour François :

— J'aime ce genre d'homme, disait-elle, sachant tout faire, le faisant d'une façon accomplie, sans rien laisser en suspens, allant jusqu'au bout de ce qu'il a entrepris.

Je rougissais. Elle était étonnée par mon trouble. Pouvait-elle comprendre le sens très personnel que prenaient ses paroles ?

Les sœurs Pinson, naguère très élogieuses sur François, avaient quelque peu révisé leur point de vue. Elles s'étonnaient que François eût abandonné (ce qui n'était pas son habitude) un certain nombre de travaux entrepris.

— On dirait que la réussite de son ascenseur lui a tourné la tête, affirmait l'une d'elles.

L'autre ajoutait :

— Il paraît qu'il expérimente son ascenseur le soir, très tard, de façon que personne ne puisse le voir.

Il suffisait d'une phrase de ce genre pour qu'un vertige m'envahît. Je respirais très fort.

— Vous ne vous sentez pas bien, mademoiselle Marion ? demanda l'une des jumelles.

— Juste un peu de fatigue, répondis-je.

Elles entreprenaient de me réconforter, formant un chœur si parfait que je ne savais plus laquelle des deux était en train de parler :

— Que ce ne soit pas l'ascenseur qui vous inquiète, surtout ! Pour le moment, nul n'est autorisé à s'en servir et rien n'est encore décidé pour l'avenir. Naturellement, nous espérons, pour le bien-être des locataires qui habitent les étages supérieurs, que cet ascenseur fonctionnera un jour. Nous vous ferons bâtir une cloison, nous verrons cela, d'ailleurs ; et puis M. Zande vous conseillera. C'est un homme qui vous aime beaucoup.

Je devais rencontrer M. Zande quelques jours plus tard, en fin d'après-midi.

Il se tenait dans la cour en compagnie de deux hommes. En me voyant, ils se mirent tous trois à chuchoter comme des conspirateurs.

— N'est-ce pas la jeune femme dont nous parlions ? fit l'un d'eux, un homme au ventre proéminent.

Il me tendit la main brusquement. Je ne pus refuser de la lui serrer.

— Permettez-moi de me présenter, dit-il : Jolifou, contrôleur des installations urbaines, notamment des ascenseurs.

Le dernier personnage du trio avait de grands yeux

bleus et le visage lisse et poupin d'un enfant. L'élégance de son costume, la minceur de son nœud de cravate, le lustre de ses chaussures laissaient prévoir un esprit méticuleux et sans indulgence. Il me toisa avec insistance. Sa voix était cinglante. Elle me rappela celle de Jean :

— Monsieur Cudre, architecte, dit-il.

Je fus presque réconfortée de retrouver la voix de M. Zande :

— *La jeune fille et l'ascenseur,* cela ferait un joli tableau. Quelque chose de grave, de troublant ; je vous vois vêtue de la robe que vous portez aujourd'hui, appuyée contre la cage de l'ascenseur, avec vos grands yeux qui regardent bien en face, vos cheveux qui tombent sur vos épaules... un très joli tableau, n'est-ce pas, comme le peindrait Balthus, par exemple...

— Eh bien, reprit M. Jolifou, il semble que l'ascenseur va marcher. Ma conclusion est plutôt favorable. L'ascenseur a été revu par une main fort experte, et l'infrastructure semble convenable, malgré les inévitables travaux de remise en état et...

M. Cudre ajouta :

— Travaux qui ont été abandonnés par l'homme en question.

Je hochais la tête, un peu absente, perdue dans des explications dont je ne comprenais pas grand-chose. Quand elles firent allusion à François, je réagis :

— L'homme ?

— Ce fameux François, dit M. Zande. Personne ne sait où il est. Il ne vient plus guère par ici. Nous devons le trouver. D'autant que certains locataires nous ont informé qu'il utilisait parfois l'ascenseur, la nuit.

— Vous devez le voir, vous qui êtes aux premières loges ? me lança M. Jolifou.

— Je ne sais rien, répondis-je aussitôt, sans savoir pourquoi je mentais.

On passa outre, heureusement.

M. Cudre était donc architecte. C'était aussi le métier de M. Hugo. Je l'écoutai :

— La situation de votre studio est exceptionnelle. Certes, on trouve de pareils vides dans certaines demeures du début du siècle, mais ces endroits restent inutilisés, ou bien on s'en sert de débarras. Il ne viendrait à l'idée de personne d'y faire un lieu d'habitation. C'est une remarquable démonstration pour un architecte. Remarquez que du pur point de vue architectural, une pareille anormalité donne un certain cachet, je dirais même une certaine valeur à votre logement, comme une monstruosité revalorise parfois certains objets, ou une coquille, dans certains livres, signale l'édition originale et lui donne, *ipso facto,* sa valeur.

Les trois hommes semblaient trouver un tel plaisir à me sentir en leur compagnie qu'ils rivalisaient d'ardeur. Cependant, ce qui concernait mon ascenseur ne m'intéressait pas vraiment en dehors du rôle précis que je lui assignais : le retour de François. Au surplus, j'étais persuadée que François faisait en sorte de conserver l'ascenseur pour nous seuls, pour notre culte.

— Vraiment, dit M. Jolifou, vous imaginez l'ascenseur

passant dans votre chambre pendant que vous faites votre toilette, pendant que vous vous habillez ?

Malgré leur platitude, ces phrases se rapportaient à un monde qui me concernait. Je songeais aux bourdonnements du soir qui annonçaient François et qui, dans mon souvenir, étaient comme nos premiers cris d'amour. Je souris. Ce sourire fut mal interprété.

— Cela ne vous déplairait peut-être pas, hein, reprit M. Jolifou. Il y a des femmes qui...

— Voyons, dit M. Zande, soyons sérieux. Le mieux, je crois, serait que nous allions visiter l'appartement de cette demoiselle.

Je ne pus faire autrement que d'accepter.

— Comme vous avez arrangé ça, vous êtes une fée ! dit M. Zande.

Ils s'approchèrent de la ferronnerie, admirèrent la lumière qu'y faisait ruisseler la lanterne vénitienne. M. Jolifou remarqua Vulcain :

— Vous avez là un diable qui surveille vos allées et venues !

Il essaya de toucher la marionnette. Son ventre l'en empêcha.

Cependant, M. Cudre inspectait les lieux avec curiosité.

— C'est vraiment une bizarrerie comme je n'en ai pas vu de toute ma carrière. Avoir fait un studio de ce machin-là, avec une douche, une cuisine ! D'autres l'auraient laissé tel quel, une remise pour outils, quelque chose comme ça...

Ils s'agitèrent autour de ma cage, très excités. Il me sembla que j'étais mêlée à une séance de magie noire.

M. Jolifou ne voulait envisager que les aspects érotiques de mon ascenseur :

— J'imagine qu'il vous faudra bien un paravent ou quelque chose. Si vous n'en mettez pas, lorsque l'ascenseur marchera, prévenez-moi : je ferai l'aller et retour plusieurs fois dans la journée, et même la nuit, ça oui !

— Ne l'écoutez pas, reprit M. Zande d'une voix ferme. C'est un incorrigible bambocheur. Mais enfin, mademoiselle, dit-il en me regardant dans les yeux et en essayant de me saisir le coude, je vous interdis pour le moment d'utiliser cet ascenseur.

— Vous savez, répondis-je doucement, je ne suis qu'au deuxième étage et cet ascenseur...

— Allons, allons, je sais qu'un ascenseur peut compter beaucoup dans la vie d'une femme, reprit M. Zande. Vous savez que c'est un instrument symbolique : certains de mes amis psychiatres pourraient...

Un peu jaloux du bagou de l'ingénieur, M. Jolifou interrompit :

— Ces psychiatres et leur psychanalyse, pfft ! quelle sottise ! Il est vrai que cet ascenseur télescopique, ça peut donner des idées !

L'architecte s'interposa :

— En tout cas, je ferai un rapport dans les annales d'architecture. J'avoue que je n'ai jamais vu cela. Mais il vous faudra déménager, mademoiselle. Car même si vous faites construire un mur autour de cette cage, le bruit de l'ascenseur vous empêchera de vivre ici.

Ces trois hommes me distrayaient. Après tout, ils me parlaient de quelque chose qui m'était cher ! Cet ascenseur n'était-il pas devenu essentiel à mon existence ? Le moyen par lequel le bonheur m'était venu ? Le lien indispensable et nécessaire entre François et moi ?

M. Jolifou apporta la note finale :

— Nous aurons besoin de revenir vous voir. Nous le ferons très discrètement. J'imagine que vous avez votre petite intimité ? Une jolie jeune femme comme vous !

Je n'avais aucune colère. Je n'en voulais nullement à ces hommes. Ils me paraissaient proches et fraternels : ils se penchaient sur l'événement essentiel de mon existence.

Chacun des trois souhaitait, je suppose, le départ des deux autres. Comme cela ne se produisait pas, ils finirent par partir tous les trois ensemble.

XXV

Je rapportai cette entrevue à François. Je lui demandai s'il n'était pas risqué d'utiliser l'ascenseur. Il parut choqué :

— Que connaissent-ils à cet ascenseur ?

— François, il n'y a que toi qui le connaisses !

— Savent-ils mon secret, notre secret, savent-ils pourquoi j'ai réparé cet ascenseur ?

— Ils ne savent rien. Ils ne se doutent de rien. L'ascenseur est à nous, répondis-je avec exaltation, emportée dans ma folie.

— J'ai réparé cet ascenseur pour te rencontrer. Je veux l'utiliser pour te retrouver chaque soir.

— Même si c'est dangereux !

— Est-ce que tu ne mérites pas qu'on prenne quelque risque ?

François m'aima si fort, cette nuit-là, qu'un incident se produisit.

Il faisait chaud. C'était le moment de la nuit le plus serein, le plus complice. La sueur séchait sur nos corps. Je me levai. J'allai prendre une douche. L'eau tiède qui coulait sur mes épaules, mes seins, mon ventre, prolongeait le plaisir proche. Je me mis à chanter, mêlant ma voix au bruissement de l'eau, aspirant les gouttelettes qui coulaient sur mes lèvres, aveuglée par les cheveux qui se collaient à mes yeux. Il n'est pas possible, me disais-je, qu'un être humain puisse connaître plus de délices. Je me trompais. Un délice supplémentaire vint s'ajouter à ceux que je goûtais. François vint dans la douche. L'eau nous unissait dans un même ruissellement. Nous nous serrions, ivres de ce bien-être chaud et fou. Me saisissant comme une marionnette, François me fit l'amour au milieu des cascades et des geysers qui nous éclaboussaient. La surprise, la nouveauté, et jusqu'aux gestes d'équilibre auxquels nous obligeait l'étroitesse de la cabine, tout cela me donna un plaisir d'une telle soudaineté que je me sentis assassinée. J'eus la force d'ouvrir les yeux : François s'évanouissait comme un fantôme que le jour fait disparaître...

... Il me sembla que j'étais dans un rêve gracieux. La bouche de François ne se détachait pas de mon épaule et ses cheveux mouillés s'étendaient sur moi. Je me trouvais à la surface d'un lac dont les berges étaient faites de ferronnerie magnifique. Je m'exerçais à marcher sur l'eau, et mes pas provoquaient de petites cascades autour de moi. François faisait de son corps un rempart contre les eaux qui venaient à nous dans un bruit de cataracte. Je me sentais couler ; le poignet vigoureux de François me ramenait à la surface. Les eaux surgissaient de nouveau.

Nous glissions ensemble dans l'eau profonde. L'air ne me parvenait pas, non plus qu'à François. Nous allions périr. Cette perspective n'était pas malheureuse. L'eau que nous traversions produisait une musique tendre, pareille à celle qui, dans mon souvenir, était associée au bruit de l'ascenseur amenant François chaque soir et préludant au plaisir. Alors François se dressait comme un géant. Il séparait les eaux. Celles-ci refluaient ; nous respirions. J'ouvris les yeux.

Ma vue fut étonnée par la blancheur des murs et du plafond. Cet éclat éblouit mon regard. Je voulus refermer les yeux. Un mot me les tint ouverts :

— Marion...

Une sensation heureuse m'envahit. François était debout, tout habillé, à côté du lit. C'était la première fois que je voyais François de jour. Je refermai les yeux. L'image de François se prolongea dans le noir. J'entrouvris les yeux de nouveau, je les refermai, les ouvris, je m'habituai au nouveau François qui était là.

Je voulus parler. Je ne parvins pas à remuer les lèvres. François y déposa les siennes. Celles-ci me redonnèrent la voix :

— François...

— Repose-toi, ne te fatigue pas, disait-il.

— Est-ce que je suis morte, François ?

— Juste un peu malade et...

J'aurais voulu être malade mille ans et que François me veillât pendant tout ce temps. J'avais envie d'être dorlotée, secourue, bercée comme un tout petit enfant. Je n'avais

169

pas besoin d'autre chose : François était là, il serait là dans une minute, plus tard, tout à l'heure, toujours.

Le sang se remit à circuler dans mon corps. Je regardai autour de moi. Le jour était coloré par les nuances vertes du feuillage qui rentrait presque dans ma chambre. Je reconnus le mûrier. Un air de saxo, comme le jour de mon arrivée ici, faisait vibrer le mur sur lequel s'appuyait ma tête.

— Que m'est-il arrivé, François ?

François me souleva dans ses bras avec autant de précaution que s'il avait remis en état une marionnette dont les fils se seraient embrouillés ou cassés.

Ma vigueur fut irriguée par toute cette tendresse :

— Embrasse-moi !

Il me serra. Il craignit que son geste ne m'eût fait mal. Il me relâcha.

Je demandai, inquiète :

— Tu es pâle, tu trembles ! Pourquoi es-tu pâle, pourquoi trembles-tu ?

— Cette nuit... commença François.

— Qu'y a-t-il eu cette nuit ?

— J'étais fou. Je t'ai portée sur le lit. Tu étais toute mouillée par l'eau de la douche, tes cheveux pendaient, des gouttes tombaient sur le tapis.

— Oh François, François...

Il avait posé ses mains sur mes joues. Il murmurait, tout proche :

— Tu étais si belle, si tendre. J'ai cru que j'allais m'évanouir aussi. Tu respirais encore... Si doucement.

Chaque fois, je croyais que ce souffle était le dernier, qu'il n'y en aurait plus après.

— Tu crois qu'on peut mourir de bonheur?

— Marion, tu ne pouvais pas mourir sans moi.

— Je ne veux pas que tu meures.

— Si tu étais morte, ton Fogo n'aurait plus qu'à se jeter dans sa fosse, là, en bas...

— Tu m'as ressuscitée, François!

— Je suis un loup; j'ai des griffes et des dents. Je t'aurais défendue contre tout l'univers. Mais cette nuit, à quoi servaient mes griffes et mes dents.

— Qu'as-tu fait?

— Je connais les maisons où je travaille. Je savais où il y avait un médecin.

— Tu l'as cherché?

— Oui.

— En pleine nuit?

— Il a dit que ce n'était pas grave. Une syncope ou quelque chose comme ça, à cause d'une forte émotion, je ne sais pas très bien ce qu'il m'a expliqué. Il t'a fait une piqûre. Il m'a dit qu'il fallait du repos, rester étendue, ne pas bouger, ne pas avoir d'émotion. Tu es guérie!

— Je le sais que je suis guérie, puisque tu es là!

François! Dans les rêves fous et doux qui accompagnèrent le vertige où j'étais plongée, jamais je ne te sentis si proche! Tu étais assis sur mon lit. Tu n'as pas bougé. Jamais ton amour ne me fut plus cher, plus solide, plus tranquille que dans ces moments de confusion. Comme j'étais amoureuse! Je clignais les yeux, je remuais un bras, une jambe. Un charme habitait mon étourdissement. J'en sortais à ma guise pour te voir, t'entendre, te serrer un doigt, effleurer ta main.

Je voulus me lever. La pièce se mit à tourner autour de moi. François me soutenait. Je n'avais pas peur. J'étais dans un nuage au travers duquel François me portait. Il m'aurait fait enjamber des montagnes, des océans, le ciel...

Plus tard dans la journée, François me fit un repas de ce qu'il put trouver dans le garde-manger.

Il mangea un peu avec moi pour me faire plaisir.

Je me sentais si faible que je n'eus pas le courage de l'aider à rapporter les objets à la cuisine. J'entendais dans une brume les bruits qu'il faisait pour tout ranger.

J'ai dû sombrer dans le sommeil. Puis je fus attirée par un bouton de manchette doré qui s'agitait au-dessus de moi comme un hochet. Sans doute était-ce celui du docteur car je ressentis la petite brûlure d'une piqûre.

La piqûre me fit du bien. Je me retrouvai tout à coup les yeux grands ouverts, assise dans mon lit. La lumière de la cour, les sonorités qui s'y répandaient indiquaient que la journée était avancée.

Et François, éclairé par les rayons du soleil couchant qui faisait miroiter les vitres de la fenêtre, paraissait aussi éclatant que lorsque je l'avais vu pour la première fois, à la lumière rouge du brasero allumé près de sa fosse. Jamais il n'avait été aussi semblable au Fogo de ma légende, celui qui allumait les volcans de mes livres d'enfant, et dont j'étais déjà éperdument amoureuse.

XXVI

Quand je songe à ces événements, à présent lointains, je me dis que cette nuit exceptionnelle a constitué la première fêlure dans notre amour.

A partir de cette journée, les événements se précipitèrent et les avertissements aussi. Emportée dans mon amour, je ne voyais rien.

Le lendemain j'étais reposée et me rendis normalement à mon travail. Mme Monchanin m'accueillit sèchement :

— Vous avez encore été absente, Marion ! M. Monchanin n'est pas content, vous savez.

— Excusez-moi, dit-je avec humilité.

— Marion... reprit-elle.

M. Monchanin, qui était présent, arrêta sa femme :

— Voyons, chérie, ce n'est pas grave.

Mme Monchanin regarda son mari avec étonnement. Dès qu'il fut occupé, elle me prit à part :

— Ecoutez, Marion, je sais ce qui se passe, et ce n'est pas la peine d'en faire un mystère.

173

— Mais il ne se passe rien et je ne fais aucun mystère, madame Monchanin.

— Si, vous en faites un ! reprit-elle avec aigreur.

Je me tus, ne trouvant rien à répondre. Ce silence eut le plus mauvais effet sur Mme Monchanin. Elle me fixa avec un air méchant. Je décidai de prononcer quelque mot pour me défendre. Elle me devança :

— Enfin, Marion, ce n'est pas parce que vous êtes, vous êtes... comme vous êtes, qu'il faut faire ces yeux-là à mon mari !

Je la regardai sans comprendre.

Autrefois, une pareille réplique m'aurait bouleversée. J'aurais mis des heures, peut-être des journées à m'en remettre. Aujourd'hui, ces choses crevaient comme des bulles : je ne faisais plus partie de la géométrie de ce monde de chicane et de procédure.

Il en fut de même, quelques jours plus tard :

Je rencontrai Jeanne et Samy. Ils marchaient côte à côte, d'un même pas, comme ils le faisaient toujours. Pour la première fois je remarquai combien ils avaient besoin l'un de l'autre. Je fus touchée par la solidité de leur union.

— Marion, dit Samy, c'est une bonne surprise de te rencontrer !

Sa femme surenchérissait :

— En effet, il y a si longtemps que nous ne te voyons plus. Que deviens-tu ? Comme tu as changé ! Je ne te reconnaissais pas.

— C'est bien moi, pourtant !

— Eh bien, dit Jeanne, tu n'es plus la même! Ma parole, tu as maigri!

— C'est vrai, fit Samy, il me semble que tu as maigri.

— Tu n'es pas malade, au moins, reprit Jeanne, car dans ce cas, je connais un très bon docteur et...

Samy interrompit sa femme :

— Mais non, elle n'est pas malade, tu vois bien! Tu n'es pas très psychologue, Jeanne!

Ils souhaitaient, j'en suis sûre, prolonger la scène. Ils étaient décidés à me passer au crible, à essayer de deviner ce qui m'arrivait. Je n'eus pas le cœur de leur gâcher trop vite leur plaisir. Je me prêtai de bonne grâce à leurs investigations.

Jeanne murmura, croyant être agréable :

— Tu sais que Jean... ça va très mal avec sa nouvelle...

Son mari la relaya :

— Il nous parle souvent de toi, de toi et du temps ancien...

Je fus obligée de promettre de venir dîner bientôt. Je savais que je n'irais pas. Qu'y pouvais-je?

Ma vie avait des gaietés étranges, des chaleurs lourdes. Parfois, en pleine rue, je pensais à François avec des élans de tendresse si intenses que j'étais obligée de me retenir à n'importe quoi pour ne pas tomber. Des larmes me venaient aux paupières. Des murmures frémissaient dans ma gorge. J'étais envoûtée, illuminée. Les gens se retournaient sur moi. Je les regardais comme des êtres venus d'une planète où l'amour et le bonheur étaient inconnus. N'étais-je pas la seule femme à goûter un tel plaisir de l'âme et du corps ? Qui pouvait connaître cette grâce du ciel ?

Je mangeais à peine. François ne fumait pas. J'avais cessé de fumer. Ma taille nouvelle me convenait : je me sentais légère et de force à escalader des montagnes. Les journées se déroulaient comme une escalade, pour hâter la venue du soir. Elles n'étaient que des ponts tendus entre une nuit et une autre nuit.

Je rentrais, comme autrefois, par les mêmes rues. Mais je ne flânais plus. Mon studio était le havre auquel j'aspirais. Je passais régulièrement devant *Pierrot mon ami,* sans jeter un regard à la vitrine, de peur d'être arrêtée par Colombine. Celle-ci, un soir, se trouvait devant sa porte. Je ne pus pas faire autrement que de la saluer :

— Depuis que vous êtes l'héroïne d'un jeu rustique, vous êtes bien fière ! fit-elle.

Je trouvai quelques propos accommodants :

— Un jeu rustique du xiiie siècle, je n'ai pas oublié, vous voyez !

— A la bonne heure ! J'aime qu'on ne m'oublie pas.

— Je vais vous dire quelque chose de plus : votre Vulcain m'a porté chance.

— Comment cela ? demanda Colombine, intriguée et un peu sceptique.

Après tout, pourquoi ne pas me confier à Colombine ? Mon amour et mon bonheur n'étaient pas un secret.

— Vous ne devinez pas ?

— Je ne sais pas si je devine !

— Le vrai Vulcain est arrivé !

Colombine battit des mains comme une petite fille :

— Mes marionnettes ont un pouvoir, un réel pouvoir, je le savais ! A force de mimer la vie, on la crée ! La virilité, la force, la tendresse, toutes ces vertus qu'on peut simuler chez une petite poupée, un jour s'imposent, surgissent. On ne joue pas impunément sans que la vie, un jour, remplace le jeu.

Comment n'aurais-je pas été convaincue par ces propos ? Mais je ne savais pas, alors, que le chemin inverse était possible. La vie pouvait se corrompre au point de se confondre avec les gestes sans espoir d'un mécanisme.

L'avenir devait me l'apprendre.

Je quittai Colombine et me dépêchai de rentrer. La nuit venait. L'ascenseur vibrait. François faisait renaître le bonheur. Sa douceur, parfois, remplaçait ses audaces et ses excès. Elle était aussi bonne. Il me prenait contre lui. Il glissait sa main dans mes cheveux, sur mès joues, à ma nuque, si légèrement que je croyais sentir de la mousse. Il ajoutait à ses caresses le souffle chaud de son haleine et les deux sensations formaient un tout si confondu, que je ne savais plus si c'était son souffle qui me caressait, ou ses caresses qui faisaient naître un souffle. Sa langue cherchait ma langue. Je frissonnais. François joignait ses frissons aux miens : nous nous unissions dans le même frisson.

Il m'embrassait pendant des heures. Sa bouche quittait ma bouche. Elle descendait jusqu'à mon ventre où elle soufflait la chaleur secrète qu'elle avait recueillie.

Il n'y avait de place que pour notre euphorie. Nous étions ignorants de tout, et notamment des dangers qui se rapportaient à la vétusté de notre ascenseur, à la précarité de sa réparation. Pas une fois, fous que nous étions, il ne nous vint à l'esprit de renoncer au rituel de nos rencontres, comme si, sans lui, nos rencontres auraient perdu leur magie et notre amour sa violence.

XXVII

J'avais accumulé plusieurs lettres de M. Hugo sans y répondre.

M. Hugo se plaignait de mon silence, délicatement. Je songeai à lui téléphoner. J'étais sûre que j'aurais bafouillé, que je n'aurais pas su quoi lui dire. J'y renonçai.

Un après-midi, pour la centième fois, j'essayais de lui écrire, les yeux fixés sur la seule petite phrase que j'avais réussi à tracer : « Cher ami Victor Hugo »... Il faisait lourd. Un orage menaçait. On frappa à ma porte. Je sursautai. Dans mon émotion, je renversai le guéridon.

L'homme sur lequel j'ouvris la porte ne m'était pas étranger. Je ne le reconnus pas tout de suite dans la demi-obscurité de l'escalier. Il entra comme un habitué. Je retrouvai une voix chaleureuse, mais privée de cette vibration juvénile qui la marquait autrefois. C'était Gilbert.

— Marion ! dit-il, comme je suis content de te voir !

Gilbert n'était plus le même. Comment pouvait-on changer à ce point en si peu de temps ? Je me laissai embrasser. Il y mit une fougue qui me surprit et me gêna :

— Comme tu as changé ! dit-il. Laisse-moi te regarder mieux, là, à la lumière. Tu n'es plus la même. C'est incroyable ! La dernière fois que nous nous sommes vus, c'était...

— C'était le jour de ton mariage.

Je n'osai pas lui dire combien je le trouvais, lui aussi, transformé. Il avait une expression de vieillard plaquée sur un visage jeune : ce mélange me fit presque peur.

— C'est vrai, dit Gilbert, nous ne nous sommes pas vus depuis ? Eh bien... comment vas-tu ?

— Assieds-toi, Gilbert !

— Sur le lit, je peux ? demanda-t-il d'une façon un peu bizarre.

— Mais oui, si tu veux.

Je m'assis en face de lui, sur une chaise :

— Je n'ai rien à boire, tu sais, ou presque rien. Peut-être un fond de vin...

— Et la bouteille de stregha que nous avons terminée ensemble, tu t'en souviens, Marion ?

— Mais oui, bien sûr, c'était juste après mon emménagement ici.

— Tu étais encore troublée par ton ascenseur ! Tu t'y es habituée, maintenant ?

— Oh oui, c'est très bien, j'aime vraiment mon studio, dis-je avec un enthousiasme si subit que Gilbert, probablement, crut que j'en rajoutais pour déguiser mon désappointement.

— Tiens, dit Gilbert qui se releva brusquement et se dirigea vers la cage de l'ascenseur, voilà Vulcain !

180

Il toucha la marionnette, ce qui lui était possible étant donné sa haute taille :

— Il a toujours ses yeux luisants, on dirait qu'ils vous lancent des éclairs. Je me souviens quand je te l'ai apporté. J'étais heureux alors.

Je n'eus pas le courage de dire : « Car tu ne l'es plus ? » Il répéta :

— J'étais heureux. Je croyais que la vie serait belle, facile, j'avais tellement d'espoir.

Je me risquai tout de même à demander :

— Tu ne vas pas me dire que tu n'as plus d'espoir ?

— J'ai tout perdu, fit-il en revenant s'asseoir sur le lit. Je n'ai plus que toi.

— Moi ?

— Tu es la seule personne qui me connaisse, qui me comprenne, qui m'aime encore...

— Je te comprends, c'est vrai.

Gilbert se laissa aller :

— Tu te souviens des fêtes à Clorivière ?

— Bien sûr !

— Et des manèges où je t'entraînais ?

— Sais toi, je n'y serais jamais montée !

— Tu te tenais serrée contre moi.

— Tu me rassurais.

— Je me rappelle qu'une fois, dans la chenille, tu as eu si peur dans le noir que tu m'as embrassé.

— Je ne l'ai pas oublié.

— Je crois que tu m'as embrassé sur la bouche. Tu l'as fait exprès ?

— Telle que je me connais, certainement, fis-je en riant.

— A cette époque, on était amis.

— Nous le sommes encore.

La voix de Gilbert s'assombrit :

— On se racontait tous nos secrets, on était joyeux ! Cette période a été le meilleur de ma vie. Rien n'est plus comme avant, maintenant.

Je répliquai un peu au hasard :

— C'est vrai, rien n'est comme avant.

— J'ai changé, Marion, mais toi aussi, tu sais ! Tu as l'air si... tu as l'air tellement...

Je balbutiai :

— Je suis la même, pourtant...

— Isabelle va avoir un bébé, dit Gilbert tout à coup.

— Eh bien, c'est plutôt une bonne nouvelle, non ?

— Oui, dit Gilbert, moi aussi je croyais que ça serait une bonne nouvelle.

Je pris les mains de Gilbert et lui demandai enfin :

— Qu'est-ce qu'il y a ?

Il embrassa mes mains avec tant de soudaineté et de passion que je fus obligée de les lui retirer. Je crus qu'il allait pleurer.

— Je suis malheureux, dit-il.

— Voyons, Gilbert, voyons...

— Viens plus près, là, implora Gilbert, viens près de moi, je me sens si seul.

Je m'assis sur le lit. Il posa sa tête sur mon épaule.

— Tu es si bonne, Marion ! Si généreuse ! Tu n'es pas

toujours à t'agiter, à hurler pour un oui pour un non, à me reprocher ce que j'ai fait, ce que je n'ai pas fait !

Gilbert se mit à sangloter comme un enfant. Je le pris dans mes bras, doucement. Ses larmes coulaient sur mon cou et mon épaule nue. Elles me causèrent une sensation désagréable dans la chaleur étouffante de cette fin d'après-midi.

— C'est toi que j'aurais dû épouser, dit Gilbert au milieu de ses pleurs.

— Tu es fou, tu es fou ! Calme-toi, cela ira mieux, nous allons parler... Parlons...

Il se redressa brusquement et me regarda avec des yeux furieux, mais cette fureur, manifestement, ne m'était pas destinée :

— Je n'aurais jamais dû me marier, jamais, jamais !

— Isabelle est si jolie...

— Ah oui, parlons-en, dit Gilbert qui se leva et se mit à marcher de long en large, parlons-en ! C'est vrai qu'elle est jolie. Elle a des cheveux, de longs cheveux blonds qui lui tombent dans le dos. Elle est grande, elle est mince. Je me suis dit : voilà une fille qui est belle, que tous les hommes regardent et que je vais avoir pour moi tout seul, quel bonheur ! Je m'étais mis dans l'idée qu'avec un visage aussi angélique, eh bien, on ne pouvait être qu'un ange. Quel imbécile je suis, Marion. Je suis puni ! Tellement puni !

— Mais qu'y a-t-il, Gilbert, explique-moi !

— Pas un instant de repos depuis mon mariage, pas un jour heureux ; toujours des scènes, des cris, des reproches, et puis ses exigences, son caractère...

183

— Tu es peut-être trop gentil.

— Gentil, parlons-en ! Si tu savais ce que je lui ai dit ? Et ce matin, je suis parti !

— Tu es parti ?

— Ça t'épate ?

Il ajouta d'une voix têtue :

— Pour toujours !

— Tu ne peux pas faire ça, Gilbert, prononçai-je sans trop savoir ce que je disais.

— Pourquoi, je ne peux pas ? dit-il en tapant du pied. Je suis encore libre, hein, je ne suis pas un chien !

— Gilbert, je crois que tu exagères, et que...

— J'exagère ! Si tu la voyais, tu ne dirais pas ça. Ah, j'exagère, ça alors !

— Calme-toi, voyons...

— Non, je ne me calmerai pas. Je suis parti et je suis venu chez toi. Tu vois !

— Je vois.

— Tu auras bien une petite place pour me faire dormir, hein ?

— C'est impossible.

Gilbert s'était attendu à tout sauf à cette réponse. Il se tassa brusquement :

— Tu ne veux pas que je reste chez toi ?

— Non, Gilbert.

— Juste une nuit, et demain...

— Voyons, tu sais...

— Tu ne m'aimes plus, Marion ?

— Mais si, je t'aime.

— Non, tu ne m'aimes plus. Avant, tu m'aimais. Tu

aimais me voir, me recevoir. Tu te souviens quand on a déménagé ensemble ?

— Bien sûr que je m'en souviens.

— Et quand j'ai coupé ton tapis, et que nous avons tellement bu, tellement ri.

— C'était une bonne soirée, en effet.

— Je parie que tu as oublié l'histoire d'ascenseur que je t'ai racontée ? Tiens, on va voir : comment on appelle un ascenseur en Chine ? Allez, réponds !

— Je ne sais pas, Gilbert.

— Tu vois, tu ne sais pas, ricana Gilbert. Et moi qui n'ai pas cessé de penser à toi.

— Moi aussi, j'ai pensé à toi.

— Et tu ne veux plus de moi ; tu me chasses, maintenant, tu me chasses comme un galeux.

— Je ne te chasse pas, Gilbert.

— Si, tu me chasses ! Enfin, c'est la même chose !

— Mais nous sommes amis.

— Amis ! gronda-t-il, tu parles !

Il lut sur mon visage un masque de détermination. Il en comprit enfin la raison :

— Je ne suis pas aveugle, tu sais.

— Qu'est-ce que tu veux dire ?

— Tu aimes quelqu'un d'autre ?

— Oui.

— Tu me dis oui ?

— Oui, je te dis oui.

— Qui ça ?

— Ecoute, Gilbert, je ne suis pas... je ne suis plus seule... tu dois comprendre...

185

Gilbert me regarda avec ses grands yeux clairs où je retrouvai, une seconde, l'éclat innocent qui me touchait autrefois.

— Tu es heureuse, demanda Gilbert.

Ma voix trébucha :

— Ou... Oui... Gil... bert, très !

Il éclata de fureur :

— Marion, pourquoi tu ne m'as pas attendu ? Moi aussi je t'aurais rendue heureuse !

— Mais enfin, Gilbert, je ne t'ai jamais réllement... aimé.

— Moi si.

— J'étais beaucoup trop vieille pour toi.

— Trop vieille ?

— Mais oui. J'ai quatre ans de plus que toi.

— Et alors ! hurla Gilbert. Qu'est-ce que ça veut dire, quatre ans ? J'ai cent ans aujourd'hui.

Il se dirigea vers la porte. Je voulus le retenir :

— Laisse-moi, Marion, laisse-moi maintenant !

— Que vas-tu faire ? demandai-je un peu inquiète.

— Oh, rassure-toi, pas me suicider.

— Reste encore, nous allons parler, très calmement. Il y a certainement quelque chose à faire.

— Non, dit Gilbert, obstiné et têtu.

Et il ajouta, un peu pathétique :

— Adieu, Marion !

Il descendit l'escalier en courant. Je ne pus suivre sa fuite sur le métal de l'ascenseur car le tonnerre roula longuement. Je frissonnai malgré la chaleur accablante.

XXVIII

Ce fut la première fois depuis mon installation ici que la pluie battit la cour avec tant de violence. J'ignore pour quelle raison, je n'y trouvai point le soulagement attendu. La visite de Gilbert me laissait une impression douloureuse. Nous étions unis depuis notre enfance. Son échec m'engageait dans une voie difficile et troublée.

J'avais hâte que François reparût, que sa présence, comme chaque fois, fît renaître le miracle de l'harmonie et de la douceur.

Le tonnerre tournait autour de la maison. Bientôt, il sembla élire domicile dans la cour, autour du mûrier.

J'imaginais Gilbert sous la pluie, livré à la tempête, aux éclairs, aux rafales, seul avec son chagrin. Je me sentais coupable, habitée par un malaise inexplicable et excessif.

La nuit était encore lointaine, mais le ciel était si noir qu'il obscurcissait la cour. Je n'avais pas allumé. L'ombre de mon studio était traversée d'éclairs désordonnés. J'étais étonnée par l'éclat extraordinaire de ces lueurs. L'eau, le bruit, la lumière avaient quelque chose de démesuré. Pouvait-on assister à pareil spectacle sans danger ?

Le plaisir presque inhumain que mon corps avait connu y avait laissé des cicatrices. Les chocs sonores de l'orage les creusaient chaque fois un peu plus, y formant des zones à vif que le flux et le reflux des roulements suppliciaient. Ces roulements évoquaient la progressive montée du plaisir, lorsqu'un élancement en ruinait un autre, en amenait un autre, mourait en se prolongeant.

Jamais orage ne me parut si proche de la respiration de mon corps pendant l'amour. Je guettai les assauts du tonnerre. Je me souvenais de nos pauses, de nos regards, de ces moments d'attente frémissante que nous aimions entretenir, François et moi : ton corps s'attardait au bord du mien, enfiévrant mon désir par la torture qu'y provoquait l'attente ; enfin tu plongeais dans ma chair mourante, mon ventre palpitait avec cette circulation ronde que lui apportait le plaisir, tu m'entraînais en une montée essoufflée vers des cimes jamais atteintes.

Il y eu un coup de tonnerre plus violent que les autres. J'eus l'impression qu'il explosait dans ma chambre : il fit trembler la cage de l'ascenseur. Il créa comme une déchirure dans mon cerveau et, me sembla-t-il, une faille dans ma vie.

Rien ne pouvait être comme avant. J'étais atteinte par un désespoir essentiel qui était sans doute le contrecoup du bonheur trop vif que j'avais connu. Ce bonheur portait en germe sa propre destruction : il était un phare si éblouissant, qu'il n'était sans doute pas permis à l'homme d'en affronter trop longtemps la lumière.

Pour la première fois depuis ma rencontre avec François

la précarité de l'amour m'apparut. J'eus le sentiment d'une impasse où m'engageait le bonheur. Il ne s'agissait pas, sans doute, de mon amour avec François qui était au-delà de toute atteinte, mais du bonheur en général : du bonheur humain, fragile, limité. Certes, je n'étais point haletante et torturée comme lorsque j'avais attendu François, un soir. Les sensations qui m'animaient étaient d'une autre sorte, moins violentes. Mais elles étaient aussi plus dérangeantes, plus compromettantes, plus désespérées. Je songeais à mon père, à l'acharnement qu'il mettait à faire tourner ses tables et à communiquer avec les morts. Je venais de comprendre ce besoin vital d'un au-delà, que l'existence humaine ne saurait combler.

Naturellement, j'attribuais ces chimères à l'extravagance de mon esprit. François allait venir, tout recommencerait, j'oublierais ce moment de confusion.

Mon studio s'était empli d'ombres rampantes, sournoises, menaçantes. Folle de terreur, je me penchai à la fenêtre. Les volets verts, les feuillage du mûrier, la pierre des murs en face, étaient balayés par une pluie phosphorescente.

Peu à peu, les éclairs se firent moins lumineux, le tonnerre perdit de sa violence. La pluie cependant continuait de tomber, mais plus régulière, presque apaisante. Je m'étendis sur mon lit. Il me sembla que je respirais mieux.

Le jour finissant envahit ma chambre comme une lumière miraculée qu'on retrouve après un cauchemar de cécité.

La pluie et l'orage n'avaient pas dissipé la chaleur qui m'enveloppait. Je m'étais mise nue, mais à chaque instant j'aurais voulu pouvoir me dévêtir encore. Je pris une douche froide qui ne m'apporta pas le calme espéré. Je me remis toute mouillée sur mon lit. Je grelottais. La cloche lointaine sonna vingt-deux heures. J'entendis des pas précipités et affolés dans l'escalier comme si une catastrophe s'était produite dans la maison ou que la panique avait saisi ses habitants. Des voix s'appelaient, se cherchaient, se répondaient. Je n'en comprenais pas le sens. Le silence suivit. Des gouttes espacées frappaient le rebord de ma fenêtre.

Alors, comme chaque soir, se produisit le bourdonnement si cher à mes vœux. Mais aujourd'hui, l'ascenseur émettait un son plus rauque, plus strident que d'habitude. J'attribuais ce changement à la pluie, à l'orage.

A partir de ce moment les choses ne se passèrent plus dans la réalité, mais dans un monde mécanique et monstrueux, celui des marionnettes et des cauchemars.

Ce fut comme la réalisation d'une prédiction. Le vieux volcan, celui de ma légende et de mes souvenirs, se réveillait. Il s'embrasa subitement et Fogo, le Fogo de mes livres d'enfant, fut terrassé par l'éclair attardé qui traversa l'ascenseur. Il demeura quelques secondes accroché à la grille, puis il s'effondra dans la cabine. Des laves noires s'échappaient du livre de mon enfance et obscurcissaient mon cerveau.

Vulcain, là-haut, me jeta un regard triomphant.

Les journalistes écriront sans doute que le samedi 28 juin de cette année-là, quelques instants après vingt-deux heures, un homme fut électrocuté par un court-circuit qui se produisit dans un ascenseur.

XXIX

Alors commença un temps exceptionnel et privilégié, une période de réjouissances et de festivités comme celle que tout enfant, à Clorivière, j'attendais avec fièvre et impatience. Je pouvais me déguiser, chanter, danser, faire ce que je voulais toute la journée, parler à n'importe qui, me conduire n'importe comment, sans penser à l'école, au travail, aux rudes contingences de la vie familiale.

Mon studio avait été transformé en théâtre de marionnettes. Je suppose que c'est Colombine elle-même qu'on chargea d'animer le théâtre. Mais naturellement je ne la vis pas. Elle demeurait cachée au fond de son castelet. Je dis bien « castelet » : voilà un mot que j'ai découvert. Je crois que Colombine m'en avait appris le sens au cours de l'une de nos rencontres. Le castelet est le théâtre de marionnettes.

Une chose est certaine, la présence de mon ascenseur faisait de ce castelet un lieu extraordinaire. Cette machinerie lui apportait un élément absolument inédit. Car enfin ! Pouvait-on imaginer dispositif plus perfectionné et plus

original pour faire apparaître et disparaître les poupées ?
En outre, les bruits musicaux, les cliquetis plus ou moins
proches des portes qu'on ouvrait ou fermait, la lumière qui
passait dans mon studio comme celle d'un phare à rotation
lente, tout cela n'ajoutait-il pas à l'enchantement, à la
féerie ?

Vulcain fut parfait. Sa présence, aperçue de loin en loin
au cours des scènes burlesques et pittoresques qui se
succédèrent, contribua à la qualité du spectacle. Après
tout, il était sorti du volcan où l'avaient confiné plus de
vingt ans d'ingratitude et d'oubli : il jouait enfin un rôle !
Pauvre Vulcain ! La foudre qu'il avait déclenchée lui
avait été fatale. Un côté de son corps était brûlé, ce qui lui
donnait une allure héroïque et un peu pitoyable. Voilà
qu'il était estropié comme son grand ancêtre mytholo-
gique !

L'une des scènes qui me parut la plus amusante fut sans
doute l'arrivée des sœurs Pinson. Formant un petit ballet
sautillant et allègre, elles furetèrent avec empressement
autour de l'ascenseur.
Leur dentelle du même point, la teinte bleutée de leurs
cheveux, la similitude de leur costume avaient été parfaitement respectées. Pour la première fois, cependant, je les
distinguais : l'une agitait ses paupières quand elle parlait.
L'autre aussi ; mais il y avait, à l'arrière-plan, comme une
lointaine nostalgie.

M. Zande parut un peu plus tard. On l'avait costumé de clair. Une chemise bleue, une cravate rouge à rayures, des chaussures brillantes et pointues faisaient de lui une élégante et rassurante silhouette. Sa voix était caressante, ses propos clairs et intelligents : je me plus beaucoup dans la compagnie de M. Zande. J'aurais voulu le retenir. A mon grand regret, on l'escamotait. Je battais des mains, je riais. J'appelais : « Monsieur Zande, monsieur Zande ! »

Hélas ! la représentation ne permettait pas l'improvisation. Les entrées et les sorties des personnages étaient réglées avec minutie.

Je me serais bien passée, cependant, de l'arrivée de Mme Monchanin. On avait frisé ses cheveux, ses yeux étaient plus noirs que de coutume, ses joues plus rouges. Et quand elle leva les mains, elle eut l'air d'un petit chien faisant le beau. Mais les jappements de sa voix ne m'amusèrent guère : « Marion, Marion... venez dîner jeudi soir... nous serons seules, nous causerons... mon mari est à un congrès d'odontologie. »

Je répétai ce mot sans le comprendre : « odontologie ». J'aurais aimé des mots plus courts, plus gais, plus vifs. Je m'en consolai : « odontologie » résonnait si drôlement dans la bouche de Mme Monchanin !

Elle s'affaira dans mon studio, accomplit mille gestes. Elle ne partait pas !

J'aurais voulu diriger moi-même la représentation, prolonger certaines scènes, en supprimer d'autres, retenir certains personnages, chasser les autres. Je m'agitais, je trépignais !

Enfin un coup de ficelle malicieux subtilisa Mme Monchanin.

M. Jolifou, le contrôleur, prit sa place aussitôt. Son rôle sans doute ne devait pas être très important. Il fit quelques tours de piste avec un petit air finaud et circonspect. Son ventre, toujours proéminent, sautillait devant lui, comme s'il était, lui aussi, manié par une ficelle.

Il disparut. Le spectacle ne ralentissait pas. Jeanne et Samy furent placés près de moi. Pas de doute, ils étaient fabriqués d'une même main, d'une même pâte. Il était réjouissant et réconfortant de constater à quel point on avait pris soin de régler leurs émotions l'une sur l'autre : même ardeur, même compassion, même sourire. Ils évoluèrent autour de l'ascenseur avec un bel ensemble, se séparèrent comme deux enfants jouant à cache-cache, finirent par s'immobiliser en même temps. Je les applaudissais. Des larmes d'émotion inondaient mon visage.

Ils étaient doués de parole. Registre grave pour Samy : « Nous avons appris, les choses se savent vite. » Pour Jeanne, la tonalité grimpa de deux ou trois octaves : « ... et dans ton ascenseur ! nous avons eu peur... » Le ton redescendit : « Nous sommes rassurés, tu es saine... » Il remonta : « ... et sauve ». Tant de justesse m'émut. Quel art ! Les phrases se développaient avec aisance. Quelle éloquence ! Je remarquai que le mot « Jean » fut introduit deux ou trois fois.

Je m'aperçus bientôt que ce mot n'avait pas été placé pour rien dans la partition. Cependant, avant de faire paraître cet important personnage, sans doute voulait-on ménager un temps d'entracte. On modifia les éclairages. Le jour baissa. Lorsque Jean fit son entrée, les derniers rayons de soleil, concentrés et réfractés par le feuillage du mûrier, baignèrent la scène d'une lumière verte. Celle-ci décomposa le visage de Jean, fit de lui une apparition de science-fiction. Finie la tristesse romantique qui inondait son front naguère, fini ce sourire profond qui m'avait séduite autrefois. Jean n'était plus qu'une marionnette ridicule, tout juste bonne à faire peur aux enfants. « Marion, disait-elle avec cette voix aigre qui lui allait si bien, Marion, tu vas revenir chez moi, plus de disputes entre nous, dès ce soir tu reviens, n'est-ce pas ! »

On baissa encore la lumière du théâtre. La nuit était tombée. Dans l'ombre propice, la marionnette essuya une larme. Ce jeu de scène eut un effet immédiat. J'éclatai de rire ; un rire violent, douloureux. Impossible d'arrêter ce rire. La marionnette voulut me prendre dans ses bras, appuyer ses lèvres sur les miennes. Mon rire se transforma en hurlements. La marionnette prit peur. Elle se désarticula, elle me lâcha.

Exit Jean ! Enfin !

Un homme, reconnaissable à ses boutons de manchette, s'agitait au-dessus de moi. Il brandissait une seringue. L'aiguille me paraissait plus longue et plus pointue que toutes celles que j'avais jamais vues. Elle réveillait d'anciennes terreurs : j'étais toute petite, j'essayais de repousser la seringue de mes cris. En vain ! L'aiguille perdit son effet redoutable et s'enfonça dans ma cuisse.

Les heures passaient avec rapidité. Le jour venait. Les ombres du soir reparaissaient. Le temps était aboli. Je ne sentais ni faim, ni soif, ni froid, ni chaud. Je n'avais qu'une envie : que le spectacle de marionnettes recommence !

Il recommença en effet.

XXX

M. Hugo survint :

— J'ai lu dans le journal, dit-il, l'ascenseur...

M. Hugo ne faisait pas partie de mon théâtre de marionnettes. Il ne s'y inscrivait pas. Il était comme ces images qui surviennent à la fin d'un rêve dont on ne sait si elles appartiennent encore au sommeil ou déjà à la réalité. La certitude du bonheur peut rendre fou. La certitude du malheur aussi : je ne supportai pas la présence de M. Hugo. Je ne pouvais ni l'entendre ni le voir. Je m'agrippai à lui, je le bousculai. Je me précipitai hors de chez moi, dégringolant l'escalier sans savoir où j'allais. M. Hugo descendait moins vite que moi ; il m'appelait. Je traversai la cour. J'aperçus la fosse grande ouverte. Ce fut une illumination : j'étais sûre que François s'y trouvait. Je me laissai tomber. La machinerie de l'ascenseur était luisante, humide. Je l'étreignis. J'y appuyai mes lèvres, j'y frottai mes seins, mes cuisses. Tant de désir ne pouvait rester sans effet : il me sembla que le moteur se mettait en marche. Ses ébranlements se propageaient dans mon corps. Ma robe indienne, dont j'étais seulement vêtue, fut soulevée par les mouvements de mon ventre contre le moteur chaud, parfumé, intime... Je murmurai « François, je t'aime », une dernière fois.

*

A l'hôpital psychiatrique où Marion fut admise, M. Hugo est la seule personne qui lui rend visite.

DU MÊME AUTEUR

Romans
(éditions Gallimard)

DUBALU (1961)

UNE FEMME EN VILLE (1966)

LE CONGRÈS DU FEUTRE (1974)

LA BRUME DU MATIN (1978)

LA PATIENCE (1980)

VALLÉE SUSPENDUE (1981)

Achevé d'imprimer le 7 septembre 1982
sur presse CAMERON,
dans les ateliers de la S.E.P.C.
à Saint-Amand-Montrond (Cher)

Nº d'imp. 1902-1181.
Dépôt légal : septembre 1982.